COLLECTION FOLIO

D1364628

Yasmina Reza

Heureux les heureux

Flammarion

à Moïra

Felices los amados y los amantes y los que pueden prescindir del amor.
Felices los felices.

Heureux les aimés et les aimants et ceux qui peuvent se passer de l'amour. Heureux les heureux.

JORGE LUIS BORGES

Robert Toscano

On faisait les courses pour le week-end au supermarché. À un moment, elle a dit, va faire la queue pour le fromage pendant que je m'occupe de l'épicerie. Quand je suis revenu, le caddie était à moitié rempli de céréales, de biscuits, de sachets alimentaires en poudre et autres crèmes de dessert, j'ai dit, à quoi ça sert tout ça ? — Comment à quoi ça sert ? J'ai dit, à quoi ça rime tout ça ? Tu as des enfants Robert, ils aiment les Cruesli, ils aiment les Napolitain, les Kinder Bueno ils adorent, elle me présentait les paquets, j'ai dit, c'est absurde de les gaver de sucre et de gras, c'est absurde ce caddie, elle a dit, tu as acheté quels fromages ? — Un crottin de Chavignol et un morbier. Elle a crié, et pas de gruyère ? — J'ai oublié et je n'y retourne pas, il y a trop de monde. — Si tu ne dois acheter qu'un seul fromage, tu sais très bien que tu dois acheter du gruyère, qui mange du morbier à la maison ? Qui ? Moi, j'ai dit. — Depuis quand tu manges du morbier ? Qui veut manger du morbier ? J'ai dit, arrête Odile. — Qui aime cette merde de morbier ?! Sous-entendu « à part ta mère », dernièrement ma mère avait trouvé un écrou dans un morbier, j'ai dit, tu hurles Odile. Elle a brutalisé le caddie et y a jeté trois tablettes groupées de Milka au lait. J'ai pris les tablettes et les ai remises dans le rayon. Elle les a remises encore plus vite dans le caddie. J'ai dit, je me tire. Elle a répondu, mais tire-toi, tire-toi, tu ne sais dire que je me tire, c'est ta seule réponse, dès que tu es à court d'arguments tu dis je me tire, il y a tout de suite cette menace grotesque. C'est vrai que je dis souvent je me tire, je reconnais que je le dis, mais je ne vois pas comment je pourrais ne pas le dire, quand c'est la seule envie qui me vient, quand je ne vois pas d'autre issue que la désertion immédiate, mais je reconnais aussi que je le profère sous forme, oui, d'ultimatum. Bon, tu as fini tes courses, je dis à Odile en poussant d'un coup sec le caddie vers l'avant, on n'a plus d'autres conneries à acheter ? — Mais comment tu me parles ! Est-ce que tu réalises comment tu me parles ! Je dis, avance. Avance ! Rien ne m'agace plus que ces froissements subits, où tout s'arrête, où tout se pétrifie. Évidemment je pourrais dire, excuse-moi. Pas une seule fois, il faudrait que je le dise deux fois, avec le bon ton. Si je disais, excuse-moi deux fois avec le bon ton, on pourrait repartir à peu près normalement dans la journée, sauf que je n'ai aucune envie, aucune possibilité physiologique de dire ces mots quand elle s'arrête au milieu d'une travée de condiments avec un air ébahi d'outrage et de malheur. Avance Odile s'il te plaît, je dis d'une voix modérée, j'ai chaud et j'ai un article à finir. Excuse-toi, dit-elle. Si elle disait excuse-toi avec un timbre normal, je pourrais obtempérer, mais elle susurre, elle confère à sa voix une inflexion blanche, atonale, par-dessus laquelle je ne peux pas passer. Je dis s'il te plaît, je reste calme, s'il te plaît, de façon modérée, je me vois roulant à toute allure sur un périphérique, écoutant à fond *Sodade*, chanson découverte récemment, à laquelle je ne comprends rien, si ce n'est la solitude de la voix, et le mot solitude répété à l'infini, même si on me dit que le mot ne veut pas dire solitude mais nostalgie, mais manque, mais regret, mais spleen, autant de choses intimes et impartageables qui s'appellent solitude, comme s'appellent solitude le caddie domestique, le couloir d'huiles et vinaigres, et l'homme implorant sa femme sous les néons. Je dis, excuse-moi. Excuse-moi, Odile. Odile n'est pas nécessaire dans la phrase. Bien sûr. Odile n'est pas gentil, j'ajoute Odile pour signaler mon impatience, mais je ne m'attends pas à ce qu'elle fasse demi-tour les bras ballants vers les produits réfrigérés, c'est-à-dire vers le fond du magasin, sans un mot et laissant son sac à main dans le caddie. Qu'est-ce que tu fais Odile ? je crie, il me reste deux heures pour écrire un papier très important sur la nouvelle ruée vers l'or ! je crie. Une phrase complètement ridicule. Elle a disparu de ma vue. Les gens me regardent. J'empoigne le caddie et je file vers le fond du magasin, je ne la vois pas (elle a toujours eu le don de disparaître, même en situation agréable), je crie, Odile ! Je vais vers les boissons, personne : Odile ! Odile ! Je sens bien que j'inquiète les gens

15

autour de moi mais ça m'est complètement égal, je sillonne les travées avec le caddie, je déteste ces super-marchés, et soudain je la vois, dans la queue des fromages, une queue encore plus longue que celle de tout à l'heure, elle s'est remise dans la queue des fromages ! Odile, je dis, une fois à sa hauteur, je m'exprime avec mesure, Odile tu en as pour vingt minutes avant d'être servie, partons d'ici et nous achèterons le gruyère ailleurs. Aucune réponse. Qu'est-ce qu'elle fait ? Elle farfouille dans le caddie et reprend le morbier. Tu ne vas pas rendre le morbier ? je dis. — Si. On l'offrira à maman, je dis pour alléger. Ma mère a trouvé récemment un écrou dans un mor-bier. Odile ne sourit pas. Elle se tient droite et offen-sée dans la file des pénitents. Ma mère a dit au fromager, je ne suis pas une femme à histoires mais pour votre longévité de fromager célèbre je dois vous signaler que j'ai trouvé un boulon dans votre mor-bier, le type s'en est foutu totalement, il ne lui a même pas offert les trois rocamadours qu'elle a achetés ce jour-là. Ma mère se vante d'avoir payé sans broncher et d'avoir été plus grande que le fromager. Je m'approche d'Odile et je dis, à voix basse, je compte jusqu'à trois Odile. Je compte jusqu'à trois. Tu entends ? Et pour quelle raison, au moment où je dis ça, je pense aux Hutner, un couple d'amis que nous avons, qui se sont recroquevillés dans une volonté de bien-être conjugal, ils s'appellent l'un et l'autre, nouvellement, « mon cœur » et ils disent des phrases du genre « mangeons bien ce soir mon cœur ». Je ne sais pas pourquoi les Hutner me viennent alors que je suis habité par une folie contraire, mais peut-être n'y a-t-il pas un si grand écart entre mangeons bien ce soir mon cœur et je compte jusqu'à trois Odile, dans les deux cas une sorte de constriction de l'être pour arriver à être deux, il n'y a pas plus d'harmonie naturelle je veux dire dans le mangeons bien mon cœur, non, non, et pas moins d'abîme, sauf que je compte jusqu'à trois a provoqué un frémissement sur le visage d'Odile, une plissure de la bouche, un infime prémice au rire, auquel je ne dois absolument pas céder moi-même bien sûr tant que je n'aurai pas un franc feu vert, bien que l'envie soit forte, mais je dois faire comme si je n'avais rien vu, je décide de compter, je dis *un*, je le susurre avec netteté, la femme juste derrière Odile est aux première loges, Odile repousse un détritus d'emballage avec la pointe de sa chaussure, la queue s'agrandit et n'avance pas du tout, il faut que je dise deux, je dis *deux*, le deux est ouvert, magnanime, la femme derrière se colle contre nous, elle porte un chapeau, un genre de seau renversé dans une feutrine molle, je n'aime pas du tout les femmes qui portent ce genre de chapeau, c'est très mauvais signe ce chapeau, je mets dans mon regard de quoi la faire reculer d'un mètre mais il ne se passe rien, elle me considère avec curiosité, elle me toise, est-ce qu'elle sent atrocement mauvais ? Il y a souvent une odeur qui émane des femmes qui s'habillent en superposition, à moins que ce soit la proximité des laitages fermentés ? À l'intérieur de ma veste, le portable vibre. Je me défigure pour lire le nom de mon correspondant car je n'ai pas le temps de trouver mes lunettes. C'est un collaborateur qui peut me donner un tuyau sur les réserves d'or de la Bundesbank. Je lui demande de m'envoyer un mail car je suis en rendez-vous, c'est ce que je dis pour abréger. Une chance peut-être ce petit coup de fil : je me penche et murmure à l'oreille d'Odile, d'une voix retournée aux responsabilités, mon rédacteur en chef veut un encadré sur le secret d'État du stockage allemand, à l'heure qu'il est je n'ai pas la moindre info là-dessus. Elle dit, qui ça intéresse ? Et elle s'engonce en affaissant les coins de sa bouche afin que je mesure l'inanité du sujet, mais plus gravement encore l'inanité de mon travail, de mes efforts en général, comme si on ne pouvait plus rien espérer de moi, pas même la conscience de mes propres renoncements. Les femmes profitent de tout pour vous enfoncer, elles adorent vous rappeler que vous êtes décevant. Odile vient de gagner une place dans la queue des fromages. Elle a repris son sac à main et tient toujours fermement le morbier. J'ai chaud. J'étouffe. Je voudrais être loin, je ne sais plus ce qu'on fait là ni de quoi il est question. Je voudrais glisser sur des raquettes dans l'Ouest canadien, comme Graham Boer, le chercheur d'or, le héros de mon article, planter des piquets et baliser les arbres à la hache dans des vallées gelées. Est-ce qu'il a une femme et des enfants ce Boer ? Un type qui affronte le grizzli et des températures de moins trente ne va pas s'emmerder dans un supermarché à l'heure des courses de tout le monde. Est-ce que c'est la place d'un homme ? Qui peut circuler dans ces couloirs de néons, de packs innombrables, sans céder au découragement ? Et savoir qu'on y retournera, en toute saison, qu'on le veuille ou non, traînant le même chariot sous le commandement d'une femme de plus en plus rigide. Il n'y a pas longtemps, mon beau-père, Ernest Blot, a dit à notre fils de neuf ans, je vais t'acheter un nouveau stylo, tu te taches les doigts avec celui-là. Antoine a répondu, ce n'est pas la peine, je n'ai plus besoin d'être heureux avec un stylo. Voilà le secret, a dit Ernest, il l'a compris cet enfant, réduire au minimum l'exigence de bonheur. Mon beau-père est le champion de ces adages chimériques, aux antipodes de son tempérament. Ernest n'a jamais concédé la moindre réduction de son potentiel vital (oublions le mot bonheur). Astreint au rythme du convalescent après ses pontages coronariens, confronté au réapprentissage modeste de la vie et aux servitudes domestiques qu'il avait toujours esquivées, il s'était senti visé et abattu par Dieu lui-même. Odile, si je dis trois, si je prononce le chiffre trois, tu ne me vois plus, je prends la voiture et je te laisse en plan avec le caddie. Elle dit, ça m'étonnerait.

— Ça t'étonnerait mais c'est ce que je vais faire dans deux secondes. — Tu ne peux pas partir avec la voiture Robert, les clés sont dans mon sac. Je farfouille dans mes poches d'autant plus bêtement que je me souviens de m'être moi-même débarrassé des clés. Rends-les-moi, s'il te plaît. Odile sourit. Elle cale son sac en bandoulière entre son corps et la vitre à fromages. Je m'avance pour tirer le sac. Je tire. Odile résiste. Je tire la courroie. Elle s'y agrippe en sens inverse. Ça l'amuse ! J'empoigne le fond du sac, je n'aurais aucun mal à le lui arracher si le contexte était autre. Elle rit. Elle s'accroche. Elle dit, tu ne dis pas trois ? Pourquoi tu ne dis pas *trois* ? Elle m'énerve. Et ces clés dans le sac, ça m'énerve aussi. Mais j'aime bien quand Odile est comme ça. Et j'aime bien la voir rire. Je suis à deux doigts de me détendre et de basculer dans une sorte de jeu taquin quand j'entends un gloussement tout près de nous, et je vois la femme au chapeau en feutre, ivre de complicité féminine, pouffer ouvertement, sans la moindre gêne. Du coup je n'ai pas le choix. Je deviens brutal. Je plaque Odile contre le Plexiglas et tente de me frayer un chemin dans l'ouverture du sac, elle se débat, se plaint que je lui fais mal, je dis, donne-moi ces clés bordel, elle dit, tu es dingue, je lui arrache le morbier des mains, je le balance dans la travée, je finis par sentir les clés dans le désordre du sac, je les extirpe, je les agite devant ses yeux sans cesser de la maintenir, je dis, on fout le camp d'ici tout de suite. La femme au chapeau a maintenant un air épouvanté, je lui dis, tu ne ris plus toi, pourquoi ? Je tire Odile et le caddie, je les conduis le long des gondoles, vers les caisses de sortie, je serre fort son poignet bien qu'elle n'oppose aucune résistance, une soumission qui n'a rien d'innocent, je préférerais devoir la traîner, je finis toujours par le payer quand elle enfile son costume de martyr. Il y a la queue aux caisses bien sûr. Nous prenons place dans cette file d'attente mortelle, sans échanger une parole. J'ai lâché le bras d'Odile qui fait semblant d'être une cliente normale, je la vois même trier les choses dans le caddie et mettre un peu d'ordre pour faciliter l'empaquetage. Sur le parking, nous ne disons rien. Dans la voiture non plus. Il fait nuit. Les lumières de la route nous endorment et je mets le CD de la chanson portugaise avec la voix de la femme qui répète le même mot à l'infini.

Marguerite Blot

À l'époque lointaine de mon mariage, dans l'hôtel où nous allions l'été en famille, il y avait une femme qu'on voyait chaque année. Enjouée, élégante, les cheveux gris taillés à la sportive. Omniprésente, elle allait de groupe en groupe et dînait chaque soir à des tables différentes. Souvent, en fin d'après-midi, on la voyait assise avec un livre. Elle se mettait dans un angle du salon afin de conserver un œil sur les allées et venues. Au moindre visage familier, elle s'illuminait et agitait son livre comme un mouchoir. Un jour elle est arrivée avec une grande femme brune en jupe plissée vaporeuse. Elles ne se quittaient pas. Elles déjeunaient devant le lac, jouaient au tennis, jouaient aux cartes. J'ai demandé qui était cette femme et on m'a dit une dame de compagnie. J'ai accepté le mot comme on accepte un mot ordinaire, un mot sans signification particulière. Chaque année à la même époque, elles apparaissaient et je me disais, voilà madame Compain et sa dame de compagnie. Ensuite il y a eu un chien, tenu en laisse par l'une ou l'autre, mais il appartenait visiblement à madame Compain. On les voyait s'en aller le matin tous les trois, le chien les tirait en avant, elles essayaient de le contenir en modulant son nom sur tous les tons, sans aucun succès. En février, cet hiver, donc bien des années plus tard, je suis partie à la montagne avec mon fils déjà grand. Lui fait du ski bien sûr, avec ses amis, moi je marche. J'aime la marche, j'aime la forêt et le silence. À l'hôtel, on m'indiquait des promenades mais je n'osais pas les faire parce qu'elles étaient trop éloignées. On ne peut pas être seule trop loin dans la montagne et dans la neige. J'ai pensé, en riant, que je devrais mettre une annonce à la réception, femme seule cherche quelqu'un d'agréable avec qui marcher. Aussitôt je me suis souvenue de madame Compain et de sa dame de compagnie, et j'ai compris ce que voulait dire *dame de compagnie*. J'ai été effrayée de cette compréhension, parce que madame Compain m'avait toujours fait l'effet d'une femme un peu perdue. Même quand elle riait avec les gens. Et peut-être, quand j'y pense, surtout quand elle riait et s'habillait pour le soir. Je me suis tournée vers mon père, c'est-à-dire j'ai levé les yeux au ciel et j'ai murmuré, papa, je ne peux pas devenir une madame Compain ! Ça faisait longtemps que je ne m'étais pas adressée à mon père. Depuis que mon père est mort, je lui demande d'intervenir dans ma vie. Je regarde le ciel et lui parle à voix secrète et véhémente. C'est le seul être à qui je peux m'adresser quand je me sens impuissante. En dehors de lui, je ne connais personne qui ferait attention à moi dans l'au-delà. Il ne me vient jamais à l'idée de parler à Dieu. J'ai toujours considéré qu'on ne pouvait pas déranger Dieu. On ne peut pas lui parler directement. Il n'a pas le temps de s'intéresser à des cas particuliers. Ou alors à des cas exceptionnellement graves. Dans l'échelle des implorations, les miennes sont pour ainsi dire ridicules. J'éprouve le même sentiment que mon amie Pauline quand elle a retrouvé un collier, hérité de sa propre mère, perdu dans des herbes hautes. En passant par un village, son mari a arrêté la voiture pour se précipiter dans l'église. La porte était fermée, il s'est mis à secouer le loquet de façon frénétique. Mais qu'est-ce que tu fais ? Je veux remercier Dieu, il a répondu. — Dieu s'en fout ! — Je veux remercier la Sainte Vierge. — Écoute Hervé, si Dieu il y a, si Sainte Vierge il y a, tu crois qu'au vu de l'univers, des malheurs terriens et de tout ce qui s'y passe, mon collier leur importe ?!… Donc j'invoque mon père qui me semble plus atteignable. Je lui demande des services bien définis. Peut-être parce que les circonstances me font désirer des choses précises, mais aussi, souterrainement, pour mesurer ses capacités. C'est toujours le même appel à l'aide. Une supplique pour le mouvement. Mais mon père est nul. Il ne m'entend pas ou ne possède aucun pouvoir. Je trouve lamentable que les morts n'aient aucun pouvoir. Je désapprouve cette partition radicale des mondes. De temps en temps, je lui accorde un savoir prophétique. Je pense : il n'accède pas à tes demandes car il sait qu'elles ne vont pas dans le sens de ton bien. Ça m'énerve, j'ai envie de dire, de quoi tu te mêles, mais au moins je peux considérer sa non-intervention comme un acte délibéré. C'est ce qu'il a fait avec Jean-Gabriel Vigarello, le dernier homme dont je me suis éprise. Jean-Gabriel Vigarello est un de mes collègues, professeur de mathématiques au lycée Camille-Saint-Saëns, où je suis moi-même professeur d'espagnol. Avec le recul, je me dis que mon père n'a pas eu tort. Mais le recul, c'est quoi ? C'est la vieillesse. Les valeurs célestes de mon père m'exaspèrent, elles sont très bourgeoises si on réfléchit. De son vivant, il croyait aux astres, aux maisons hantées et à toutes sortes de babioles ésotériques. Mon frère Ernest, qui a pourtant fait de sa mécréance un motif de vanité, lui ressemble chaque jour un peu plus. Récemment, je l'ai entendu reprendre à son compte « les astres inclinent et ne prédestinent pas ». Mon père raffolait de la formule, je l'avais oublié, il y ajoutait de façon quasi menaçante le nom de Ptolémée. J'ai pensé, si les astres ne prédestinent pas, que pouvais-tu savoir papa de l'avenir immanent ? Je me suis intéressée à Jean-Gabriel Vigarello le jour où j'ai remarqué ses yeux. Ce n'était pas facile de les remarquer étant donné sa coiffure, des cheveux longs, anéantissant le front, une coiffure à la fois laide et impossible pour quelqu'un de son âge. J'ai tout de suite pensé, cet homme a une femme qui ne s'occupe pas de lui (il est marié bien entendu). On ne laisse pas un homme de presque soixante ans avec cette coiffure. Et surtout on lui dit, ne cache pas tes yeux. Des yeux bleu-gris changeants, miroitants comme les lacs d'altitude. Un soir, je me suis trouvée seule avec lui dans un café à Madrid (on avait organisé un séjour à Madrid avec trois classes), je me suis enhardie et j'ai dit, vous avez des yeux très doux Jean-Gabriel, c'est vraiment de la folie de les dissimuler. De fil en aiguille, après cette phrase et une bouteille de Carta de Oro, on s'est retrouvés dans ma chambre, qui donnait sur une cour avec des chats qui miaulaient. De retour à Rouen, il s'est tout de suite réengouffré dans sa vie normale. On se croisait dans les couloirs de l'établissement comme si rien n'avait eu lieu, il semblait toujours pressé, le cartable dans la main gauche et le corps penchant du même côté, la frange grisonnante plus recouvrante que jamais. Je trouve assez minable cette façon silencieuse qu'ont les hommes de vous renvoyer dans le cours du temps. Comme s'il fallait nous rappeler, à toutes fins utiles, que l'existence est discontinue. J'ai pensé, je dépose un mot dans son casier. Un mot sans conséquence, spirituel, incluant le souvenir d'une anecdote madrilène. J'ai mis le mot, un matin où je le savais présent. Pas de réponse. Ni ce jour, ni les jours suivants. On se saluait comme si de rien n'était. J'ai été attaquée par une sorte de chagrin, je ne peux pas dire un chagrin d'amour, non, mais plutôt un chagrin d'abandon. Il y a un poème de Borges qui commence par « *Ya no es mágico el mundo. Te han dejado* ». « Et le monde n'est plus magique. On t'a laissé. » Il dit *laissé*, un mot de tous les jours, qui ne fait aucun bruit. Tout le monde peut vous laisser, même un Jean-Gabriel Vigarello qui a la coiffure des Beatles cinquante ans après. J'ai demandé à mon père d'intervenir. Entre-temps j'avais écrit un autre mot, une phrase, « Ne m'oublie pas complètement. Marguerite ». Je trouvais le *complètement* idéal pour dissiper ses craintes, s'il en avait. Un petit rappel sur le ton du badinage. J'ai dit à mon père, je fais belle figure mais tu vois bien que rien n'arrive et que je vais bientôt être vieille. J'ai dit à mon père, je quitte le lycée à dix-sept heures, il est neuf heures, tu as huit heures pour inspirer à Jean-Gabriel Vigarello une réponse charmante que je trouverai dans mon casier ou sur mon portable. Mon père n'a pas levé le petit doigt. Avec le recul, je lui donne raison. Il n'a jamais approuvé mes entichements absurdes. Il a raison. On choisit des visages parmi d'autres, on s'invente des balises dans le temps. Tout le monde veut avoir quelque chose à raconter. Autrefois, je m'élançais dans l'avenir sans y penser. Madame Compain était sûrement le genre à avoir des entichements absurdes. Lorsqu'elle venait seule à l'hôtel, elle emportait plusieurs valises. Chaque soir on la voyait avec une robe différente, un collier différent. Elle portait son rouge à lèvres jusque sur les dents, ça faisait partie de son élégance. Elle allait d'une table à l'autre, buvait des verres avec un groupe puis un autre, très animée, faisant la conversation, surtout aux hommes. À l'époque j'étais avec mon mari et mes enfants. Une petite cellule, au chaud, d'où on regarde le monde. Madame Compain flottait comme un papillon de nuit. Dans les coins où perçait de la lumière, même faible, madame Compain survenait avec ses ailes de dentelle. Depuis l'enfance je me fais des représentations mentales du temps. Je vois l'année comme un trapèze isocèle.

27

L'hiver est en haut, une ligne droite bien assurée. L'automne et le printemps sont arrimés en jupe. Et l'été a toujours été un long sol plat. Aujourd'hui, j'ai l'impression que les angles se sont amollis, la figure n'est plus stable. De quoi est-ce le signe ? Je ne peux pas devenir une madame Compain. Je vais parler sérieusement à mon père. Je vais lui dire qu'il a une occasion unique de se manifester pour mon bien. Je vais lui demander de rétablir la géométrie de ma vie. Il s'agit d'une chose très simple et facile à combiner. Pourrais-tu, je m'apprête à lui dire, mettre sur mon chemin quelqu'un de gai, avec qui je pourrais rire et qui aimerait marcher ? Tu connais sûrement quelqu'un qui mettrait son écharpe les pans bien à plat, croisés à l'intérieur d'un manteau à l'ancienne, qui me tiendrait d'un bras solide et m'emmènerait sans nous perdre dans la neige et dans la forêt.

Odile Toscano

Tout l'énerve. Les opinions, les choses, les gens. Tout. On ne peut plus sortir sans que ça se termine mal. Je finis par le convaincre de sortir mais, au bout du compte, je le regrette presque toujours. On quitte les gens sur des plaisanteries idiotes, on rit sur le palier, dans l'ascenseur le froid s'installe aussitôt. Il faudrait un jour étudier ce silence, spécifique à la voiture, à la nuit, quand vous rentrez après avoir affiché votre bien-être pour la galerie, mélange d'embrigadement et de mensonge à soi-même. Un silence qui ne supporte même pas la radio, car qui, dans cette guerre d'opposition muette, oserait la mettre ? Ce soir, tandis que je me déshabille, Robert, comme d'habitude, traîne dans la chambre des enfants. Je sais ce qu'il fait. Il contrôle leur respiration. Il se penche et prend le temps de bien vérifier qu'ils ne sont pas morts. Ensuite, nous sommes dans la salle de bains, tous les deux. Aucune communication. Il se lave les dents, je me démaquille. Il va aux toilettes. Je le retrouve assis sur le lit dans la chambre ;

il vérifie ses mails sur son BlackBerry, il règle son réveil. Puis il se faufile dans les draps et éteint aussitôt la lumière de son côté. Moi je vais m'asseoir de l'autre côté du lit, je règle mon réveil, je m'oins les mains de crème, j'avale un Stilnox, je mets à disposition mes boules Quies sur la table de nuit, et mon verre d'eau. Je règle les coussins, je mets mes lunettes et m'installe confortablement pour lire. J'ai à peine commencé que Robert, d'un ton soi-disant neutre, dit, éteins s'il te plaît. C'est le premier mot qu'il prononce depuis le palier de Rémi Grobe. Je ne réponds pas. Au bout de quelques secondes, il se redresse et se couche à moitié sur moi pour éteindre ma lampe de chevet. Il parvient à l'éteindre. Dans le noir je le tape sur le bras, sur le dos, enfin je le tape plusieurs fois, et je rallume. Robert dit, ça fait trois nuits que je ne dors pas, tu veux que je crève ? Je ne lève pas les yeux de mon livre et je dis, prends un Stilnox. — Je ne prends pas ces merdes. — Alors ne te plains pas. — Je suis fatigué Odile… Éteins. Éteins bordel. Il se recroqueville sous les draps. J'essaie de lire. Je me demande si le mot *fatigué* dans la bouche de Robert n'aura pas contribué à nous éloigner plus que n'importe quoi. Je refuse de lui donner une signification existentielle. On accepte d'un héros de la littérature qu'il se retire dans la région des ombres, pas d'un mari avec qui on partage une vie domestique. Robert rallume sa lampe, s'extirpe des draps avec une brusquerie disproportionnée et s'assoit sur le bord du lit. Sans se retourner, il dit, je vais à l'hôtel. Je me tais. Il ne bouge pas. Je lis pour la septième fois « Par le jour qui filtrait encore des persiennes délabrées, Gaylor vit le chien couché sous la chaise percée, le lavabo d'émail écaillé. Sur le mur d'en face, un homme le regardait tristement. Gaylor s'approcha du miroir... ». Qui est Gaylor déjà ? Robert est penché en avant, il me tourne le dos. C'est dans cette position qu'il entonne, qu'est-ce que j'ai fait, j'ai trop parlé ? Je suis agressif ? Je bois trop ? J'ai un double menton ? Vas-y, fais ta litanie. C'était quoi ce soir ? Tu parles trop, c'est sûr, je dis. — C'était tellement emmerdant. Et dégueulasse. — Pas très bon c'est vrai. — Dégueulasse. Qu'est-ce qu'il fout dans la vie ce Rémi Grobe ? — Il est consultant. — Consultant ! Qui est le génie qui a inventé ce mot ? Je ne sais pas pourquoi on s'inflige ces dîners absurdes. — Personne ne t'oblige à venir. — Mais si. — Mais non. — Bien sûr que si. Et cette conne en rouge, qui ne sait même pas que les Japonais n'ont pas la bombe ! — Qu'est-ce que ça peut faire ? Qui a besoin de savoir ça ? — Quand on ne connaît pas les forces de défense japonaise, qui les connaît d'ailleurs ?, on ne se mêle pas à une conversation sur les revendications territoriales en mer de Chine. J'ai froid. J'essaie de tirer la couette. En s'asseyant sur le bord du lit, Robert l'a coincée involontairement. Je tire, il me laisse tirer la couette sans se soulever d'un centimètre. Je tire en poussant un petit geignement. C'est une lutte muette et complètement idiote. Il finit par se lever et sortir de la chambre. Je reviens à la page précédente pour comprendre qui est Gaylor. Robert réapparaît assez vite, il a remis son pantalon. Il cherche ses chaussettes, les trouve, les enfile. Il repart. Je l'entends fureter dans le couloir et ouvrir un placard. Puis il me semble qu'il retourne dans la salle de bains. À la page précédente, Gaylor discute au fond d'un garage avec un homme qui s'appelle Pal. Qui est ce Pal ? Je sors du lit. J'enfile des pantoufles et rejoins Robert dans la salle de bains. Il a enfilé une chemise, sans la boutonner, assis sur le rebord de la baignoire. Je demande, tu vas où ? Il a le geste du désespéré qui dit, je ne sais pas, n'importe où. Je dis, tu veux que je te prépare un lit dans le salon ? — Ne t'occupe pas de moi Odile, va te coucher. — Robert, j'ai quatre audiences cette semaine. — Laisse-moi, s'il te plaît. Je dis, reviens, j'éteins. Je me vois dans la glace, Robert a allumé la mauvaise lumière. Jamais je n'allume le plafonnier dans la salle de bains, ou alors en binôme avec les spots du lavabo. Je dis, je suis moche. Elle m'a coupé les cheveux trop court. Robert dit, beaucoup trop. C'est le genre d'humour de Robert. Moitié taquin, moitié inquiétant. C'est fait pour me faire rire, même dans les pires moments. Et c'est fait aussi pour m'inquiéter. Je dis, tu es sérieux ? Robert dit, il est consultant en quoi ce con ? — De qui tu parles ? — De Rémi Grobe. — En art, en immobilier, je ne sais pas exactement. — Un type qui touche à tout. Un bandit quoi. Il n'est pas marié ? — Divorcé. — Tu le trouves beau ? Venant du couloir, on entend un glissement et une petite voix : maman ? Qu'est-ce qu'il a ? demande Robert, comme si je le savais, et avec cette inflexion aussitôt inquiète qui me crispe. On est là Antoine, je dis, avec papa dans la salle de bains. Antoine apparaît, en pyjama, à moitié en larmes. — J'ai perdu Doudine. Encore ! je dis, tu vas perdre Doudine toutes les nuits maintenant ? À deux heures du matin, on ne s'occupe pas de Doudine, on fait dodo Antoine ! Le visage d'Antoine se plisse presque au ralenti. Quand son visage se plisse de cette façon, il est impossible d'enrayer les pleurs. Robert dit, mais pourquoi tu l'engueules le pauvre ? Je ne l'engueule pas, je dis, ayant convoqué après cette phrase toute ma capacité d'empire sur moi-même, mais je ne comprends pas pourquoi on ne l'attache pas cette Doudine. On n'a qu'à l'attacher pendant la nuit ! Je ne t'engueule pas mon chéri, mais ce n'est pas une heure pour s'occuper de Doudine. Allez, on retourne au lit. Nous repartons vers la chambre des garçons. Antoine pleurnichant *Doudiiine*, Robert et moi à la queue leu leu dans le couloir. Nous entrons dans la chambre. Simon dort. Je demande à Antoine de se calmer pour ne pas réveiller son frère. Robert chuchote, on va la retrouver mon castor. Tu vas l'attacher ? geint Antoine sans le moindre effort pour baisser sa voix. Je ne vais pas l'attacher mon castor, dit Robert. J'allume la lampe de chevet et je dis, mais pourquoi pas ? On peut l'attacher le soir de façon très agréable pour elle. Elle ne sentira rien et toi tu auras une petite ficelle que tu tireras… Antoine se met à gémir en sirène. Peu d'enfants possèdent une modulation plaintive aussi éprouvante. Chuuuut ! je dis. Qu'est-ce qui se passe ? dit Simon. — Et voilà ! Tu as réveillé ton frère maintenant, bravo ! — Vous faites quoi ? On a perdu Doudine, dit Robert. Simon nous regarde, les yeux mi-clos, comme si on était débiles. Il a raison. Je m'accroupis pour chercher sous le sommier. Je passe ma main un peu partout car on ne voit pas grand-chose. Robert farfouille dans la couette. La tête sous le lit, je marmonne, je ne comprends pas pourquoi tu ne dors pas au milieu de la nuit ! Ce n'est pas normal. À neuf ans, on dort. Tout à coup, je la sens, coincée entre les lattes et le matelas. Je l'ai, je l'ai. Elle est là ! Elle est chiante cette Doudine !… Antoine colle l'animal en tissu contre sa bouche. — Allez, au lit ! Antoine se couche. Je l'embrasse. Simon s'enroule dans ses draps et se détourne comme quelqu'un qui vient d'assister à une scène navrante. J'éteins la lampe. J'entreprends de pousser Robert hors de la chambre. Mais Robert reste. Il veut contrebalancer la sécheresse de la mère. Il veut rétablir l'harmonie dans la chambre enchantée de l'enfance. Je le vois se pencher sur Simon qu'il embrasse dans la nuque. Puis, dans une pénombre que j'assombris au maximum en poussant la porte, il s'assoit sur le lit d'Antoine, le borde, le niche dans le duvet, cale Doudine pour qu'elle ne s'échappe pas. Je l'entends murmurer des mots attendris, je me demande s'il n'a pas entamé une petite histoire de la forêt de Maître Janvier. Avant, les hommes partaient chasser le lion ou conquérir des territoires. J'attends sur le pas de la porte, activant par instants le battant pour signaler mon exaspération, bien que ma station marmoréenne soit déjà assez éloquente. Robert finit par se lever. Nous reprenons le couloir, en silence. Robert entre dans la salle de bains, moi dans la chambre. Je retourne dans le lit. Je mets mes lunettes. « Pal était assis derrière son bureau. Ses mains replètes posées sur le buvard sale. Ce matin-là, apprit-il à Gaylor, Raoul Toni était entré dans le garage… » Qui est Raoul Toni ? Mes yeux se ferment. Je me demande ce que fait Robert dans la salle de bains ? J'entends un bruit de pas. Il apparaît. Il a enlevé son pantalon. Combien de fois dans la vie ces habillages, ces déshabillages fous et menaçants ? Je dis, tu trouves normal qu'il ait encore un doudou à neuf ans ? — Mais bien sûr. Moi j'en avais encore un à dix-huit ans. J'ai envie de rire mais je ne le montre pas. Robert enlève ses chaussettes et sa chemise. Il éteint sa lampe de chevet et se glisse dans les draps. Je crois savoir qui est Gaylor. Gaylor est le type engagé pour retrouver la fille de Joss Kroll, et je me demande si on n'avait pas vu, au début, Raoul Toni à la tombola… Mes yeux se ferment. Ce polar est nul. J'ôte mes lunettes, j'éteins la lampe. Je m'oriente vers la table de nuit. Je remarque que je n'ai pas assez tiré le rideau qui laissera passer le jour trop tôt. Tant pis. Je dis, pourquoi Antoine se réveille en pleine nuit ? Robert répond, parce qu'il ne sent pas Doudine. Nous restons tous les deux un moment, de chaque côté du lit, contemplant des murs opposés. Puis je me tourne, une fois de plus, et vais me coller contre lui. Robert met sa main sur mes reins et dit, je devrais t'attacher aussi.

Vincent Zawada

En attendant sa séance de radiothérapie à la clinique
Tollere Leman, ma mère détaille chaque patient de la
salle d'attente et dit, avec une voix à peine contenue,
perruque, perruque, pas sûr, pas perruque, pas perruque… Maman, maman, moins fort, je dis, tout le
monde t'écoute. Qu'est-ce que tu dis ? Tu parles dans
ta barbe je ne comprends rien, dit ma mère. — Tu as
mis tes oreilles ? — Quoi ? — Tu as mis ton appareil
auditif ? Pourquoi tu ne le mets pas ? — Parce que je
dois l'enlever pendant les rayons. — Mets-le en attendant maman. Il ne sert à rien, dit ma mère. Assis près
d'elle, un homme me sourit avec sympathie. Il tient
dans ses mains un béret Prince de Galles, et son teint
pâle est en harmonie avec un costume à l'anglaise
suranné. De toute façon, dit ma mère en farfouillant
dans son sac, je ne l'ai même pas pris. Retournée à son
observation, elle baisse à peine la voix pour dire, celle-
là elle ne passera pas le mois, je ne suis pas la plus
vieille, remarque, ça me rassure… Maman, s'il te plaît,
je dis, tiens, regarde, il y a un petit quiz marrant dans

Le Figaro. — Bon, si ça te fait plaisir. — Quel légume, jusqu'alors inconnu en France, la reine Catherine de Médicis introduit-elle à la cour ? Artichaut, brocoli, tomate ? Artichaut, dit ma mère. — Artichaut, bravo. Quel fut le premier emploi de Greta Garbo lorsqu'elle avait quatorze ans ? Apprentie chez un barbier, doublure lumière de Shirley Temple dans *Petite Miss*, écailleuse de harengs à la criée de Stockholm, sa ville natale ? Écailleuse de harengs à Stockholm, dit ma mère. — Apprentie chez un barbier. Ah bon, tiens, dit ma mère, remarque je suis bête, depuis quand un hareng a des écailles ! Depuis longtemps madame si je peux me permettre, intervient l'homme assis près d'elle dont je remarque également la cravate grise à pois roses, le hareng a toujours eu des écailles. Ah bon ? dit ma mère, non, non, les harengs n'ont pas d'écailles, c'est comme les sardines. Les sardines aussi ont toujours eu des écailles, dit l'homme. Les sardines ont des écailles, première nouvelle, dit ma mère, tu savais ça Vincent ? Tout comme les anchois, et les sprats, ajoute l'homme, en tout cas j'en déduis que vous ne mangez pas casher ! Il rit et m'englobe dans sa tentative de familiarité. En dépit des dents jaunies, des cheveux épars et grisonnants, il a une certaine allure. Je hoche la tête aimablement. Heureusement, répond ma mère, heureusement que je ne mange pas casher, déjà que je n'ai plus du tout d'appétit. Qui est votre médecin ? demande l'homme, en dénouant légèrement sa cravate à pois, le corps s'étant configuré pour la conversation. Docteur Chemla, dit ma mère, Philip Chemla, le meilleur, il n'y a pas mieux, il me maintient depuis six ans, dit l'homme. Moi depuis huit, dit ma mère, fière d'être maintenue depuis plus longtemps. Poumon aussi ? demande l'homme. Foie, répond ma mère, d'abord sein puis foie. L'homme hoche la tête en homme qui connaît la chanson. Mais vous savez je suis atypique, poursuit ma mère, je ne fais rien comme tout le monde, Chemla me dit à chaque fois Paulette (il m'appelle Paulette, je suis son chouchou), vous êtes totalement atypique, traduisez, vous auriez dû crever depuis longtemps. Ma mère rit de bon cœur, l'homme aussi. Pour ma part, je me demande s'il n'est pas grand temps de revenir au quiz. Il est formidable, c'est vrai, enchaîne ma mère devenue incontrôlable, et je le trouve très séduisant personnellement. La première fois que je l'ai vu j'ai dit, vous êtes marié docteur ? Vous avez des enfants ? Pas d'enfant. J'ai dit, vous voulez que je vous montre comment on fait ? Je presse sa main, dont la peau est sèche et altérée par les médicaments, et je dis, maman, écoute. Quoi, dit ma mère, c'est la vérité, il était enchanté, il a rigolé comme un fou, comme rarement j'ai vu rire un cancérologue. L'homme acquiesce. Il dit, c'est un grand monsieur, Chemla, un *mensch*. Un jour, je ne l'oublierai jamais, il a prononcé cette phrase, quand quelqu'un entre dans mon cabinet, il me fait honneur. Vous savez qu'il n'a pas quarante ans ? Ma mère s'en fiche complètement. Elle poursuit sur sa propre lancée comme si elle n'avait rien entendu. Vendredi, elle parle de plus en plus fort, je lui ai dit, le docteur Ayoun (c'est mon cardiologue) est un bien meilleur médecin que vous, oh ça ça m'étonnerait, si, il m'a tout de suite complimentée sur mon nouveau chapeau, alors que vous, docteur, vous ne l'avez même pas remarqué. Il faut que je bouge. Je me lève et je dis, maman, je vais demander à la secrétaire dans combien de temps tu passes. Ma mère se tourne vers son nouvel ami : il va fumer, mon fils va sortir fumer une cigarette, c'est ça que ça signifie, dites-lui qu'il est en train de se tuer à petit feu à quarante-trois ans. Eh bien comme ça on mourra ensemble maman, je dis, vois le bon côté des choses. Très drôle, dit ma mère. L'homme à la cravate à pois pince ses narines et inspire comme quelqu'un qui s'apprête à faire une communication décisive. Je coupe court pour préciser que je ne sors pas fumer bien qu'un shoot de nicotine me ferait le plus grand bien, et que je vais juste voir la secrétaire. Quand je reviens j'informe ma mère qu'elle a ses rayons dans dix minutes et que le docteur Chemla n'est pas encore arrivé. Ah, ça c'est Chemla, brouillé avec la montre, il n'envisage pas que nous puissions avoir une existence annexe, dit l'homme, heureux d'avoir pu faire entendre à nouveau le son de sa voix et espérant garder la main. Mais ma mère a déjà réattaqué : moi je suis au mieux avec la secrétaire, elle me met toujours en début de consultation, je l'appelle Virginie, elle m'adore, ajoute ma mère à voix basse, je lui dis, soyez mignonne, donnez-moi le premier rendez-vous ma petite Virginie, ça lui fait plaisir, ça la personnalise. Vincent mon chéri, est-ce qu'on ne devrait pas lui apporter des chocolats la prochaine fois ? Pourquoi pas, je dis. — Quoi ? Tu parles dans ta barbe. Je dis, c'est une bonne idée. On aurait déjà pu se débarrasser des Vanille Kipferl de Roseline, dit ma mère, je n'ai même pas ouvert la boîte. Elle ne sait pas les faire, on a l'impression de manger du sable. Pauvre Roseline, on dirait un trousseau de clés tremblotant maintenant. Tu sais que c'est une autre femme depuis que sa fille a disparu dans le tsunami, elle est dans les vingt-cinq corps qui n'ont jamais été retrouvés, Roseline croit qu'elle est toujours en vie, de temps en temps ça m'agace, j'ai envie de lui dire, oui sûrement, élevée par des chimpanzés qui l'auraient rendue amnésique. Je dis, ne sois pas méchante maman. — Je ne suis pas méchante mais il faut être fataliste aussi, on sait bien que le monde est une vallée de larmes. La vallée de larmes, une expression de ton père, tu te souviens ? Je réponds oui, je me souviens. L'homme à la cravate à pois semble être retourné à des pensées plutôt sombres. Il s'est incliné en avant, et je remarque une béquille rangée le long de son siège. Il me vient à l'idée qu'il a mal dans quelque partie de son corps et je me dis que d'autres personnes dans cette salle d'attente en sous-sol de la clinique Tollere Leman doivent aussi avoir mal en secret. Vous savez, dit tout à coup ma mère en se penchant vers l'homme avec un visage étonnamment sérieux, mon mari était obsédé par Israël. L'homme se redresse et réajuste les pans de son costume à rayures. Les Juifs sont obsédés par Israël, moi non, moi je ne suis pas du tout obsédée par Israël mais mon mari l'était. J'ai du mal à suivre ma mère dans ce virage. À moins qu'elle ne veuille corriger la fausse piste des poissons sans écailles. Oui, peut-être tient-elle à préciser que toute sa famille est juive, elle

40

comprise, en dépit de son ignorance des lois élémentaires. Vous êtes obsédé par Israël vous aussi ? demande ma mère. Naturellement, répond l'homme. J'approuve ce laconisme. Si ça ne tenait qu'à moi, je pourrais disserter sur l'abîme de cette réponse. Ma mère a une autre appréhension des choses. Quand j'ai connu mon mari, il n'avait rien du tout, dit-elle, sa famille avait une mercerie rue Réaumur, minuscule, un trou à rats. À la fin de sa vie, il était grossiste, il avait trois magasins et un immeuble de rapport. Il voulait tout léguer à Israël. — Maman qu'est-ce qui te prend ? Qu'est-ce que tu racontes ! C'est la vérité dit ma mère, sans même prendre la peine de se retourner, on était une famille très unie, très heureuse, le seul point noir c'était Israël. Un jour je lui ai dit que les Juifs n'avaient pas besoin d'un pays, il a failli me battre. Une autre fois Vincent a voulu descendre le Nil, il l'a foutu à la porte. L'homme s'apprête à faire une remarque, mais il n'est pas assez rapide, le temps qu'il entrouvre ses lèvres décolorées, ma mère a déjà enchaîné. Chemla veut me donner un nouveau traitement. Je ne supporte plus le Xynophren. Mes mains partent en lambeaux, vous voyez. Il veut que je reprenne une chimio en perfusion qui va me faire perdre mes cheveux. Maman ce n'est pas sûr, j'interviens, Chemla a dit une chance sur deux. Une chance sur deux ça veut dire deux chances sur deux, dit ma mère en balayant mon assertion d'un geste, mais moi je ne veux pas mourir comme à Auschwitz, je ne veux pas finir la boule à zéro. Si je fais ce traitement, je dis adieu à mes cheveux. À mon âge, je n'ai plus le temps de les voir repousser. Et je dis adieu à mes chapeaux. Ma mère agite sa tête avec une moue chagrinée. Elle se tient bien droite pendant qu'elle parle sans s'arrêter, le cou tendu à la manière d'une jeune fille pieuse. Je ne me fais pas d'illusions vous savez, dit-elle. Si je suis là à bavarder avec vous dans cette salle horrible, c'est pour faire plaisir à mes fils et au docteur Philip Chemla. Je suis son chouchou, ça lui fait plaisir de continuer à me soigner. Entre nous, ces rayons ne servent à rien, nuls. Ils sont censés me rendre ma vue d'avant et chaque jour je vois plus mal. Ne dis pas ça maman, je dis, on t'a expliqué que le résultat n'est pas immédiat. Qu'est-ce que tu dis, dit ma mère, tu parles dans ta barbe. Le résultat n'est pas instantané, je répète. Pas instantané ça veut dire pas garanti, dit ma mère. La vérité c'est que Chemla n'est sûr de rien. Il tâtonne. Je lui sers de cobaye, bon, il en faut. Je suis fataliste. Sur son lit de mort, mon mari m'a demandé si j'étais toujours une ennemie d'Israël, la patrie du peuple juif. J'ai répondu, mais non, bien sûr que non. Qu'est-ce que vous voulez dire à un homme qui ne va plus être là ? On lui dit ce qu'il a envie d'entendre. C'est bizarre de s'accrocher à des valeurs idiotes. À la dernière heure, quand tout va disparaître. La patrie, qui a besoin d'une patrie ? Même la vie, au bout d'un moment, c'est une valeur idiote. Même la vie, vous ne croyez pas ? dit ma mère en soupirant. L'homme réfléchit. Il pourrait répondre car ma mère semble avoir suspendu son babil sur une note curieusement méditative. À cet instant une infirmière appelle monsieur Ehrenfried. L'homme attrape sa béquille, son béret Prince de Galles et un manteau en loden posé sur la chaise voisine. Encore assis, il se penche vers ma mère et murmure : la vie peut-être, mais pas Israël. Puis il cale son bras sur la béquille et se lève avec difficulté. Le devoir m'appelle, dit-il en s'inclinant, Jean Ehrenfried, ce fut un plaisir. On sent que tout mouvement lui coûte mais son visage reste souriant. Le chapeau que vous portez aujourd'hui, ajoute-t-il, c'est celui qui vous a valu les compliments du cardiologue ? Ma mère touche son chapeau pour vérifier. Non, non, celui-là c'est le lynx. Celui du docteur Ayoun, c'est un genre de Borsalino avec une rose en velours noir. Je vous complimente moi pour celui d'aujourd'hui, il a ennobli cette salle d'attente, dit l'homme. C'est ma petite toque en lynx, dit ma mère en frétillant, je l'ai depuis quarante ans, elle me va toujours ? À la perfection, dit Jean Ehrenfried en la saluant d'un tournoiement de béret. Nous le regardons marcher et disparaître derrière la porte de la radiothérapie. Ma mère plonge ses mains meurtries dans son sac. Elle en extirpe un poudrier et un rouge à lèvres et dit, il boite le pauvre, je me demande s'il n'est pas tombé amoureux de moi cet homme.

Pascaline Hutner

On n'a pas vu venir la chose. On n'a pas senti que ça pouvait basculer. Non. Ni Lionel, ni moi. Nous sommes seuls et désemparés. À qui en parler? Il faudrait qu'on arrive à en parler, mais à qui confier un secret pareil? Il faudrait pouvoir le dire à des gens de confiance, très compatissants, qui ne fassent montre d'aucun humour sur le sujet. Nous ne supportons pas la moindre nuance d'humour sur le sujet, bien que nous soyons conscients, Lionel et moi, que s'il ne s'agissait pas de notre fils, nous pourrions en rire. Et même, pour être honnête, en rire en société à la moindre occasion. Nous ne l'avons même pas dit à Odile et Robert. Les Toscano sont nos amis de toujours, bien qu'il ne soit pas si facile de maintenir une amitié de couple à couple. Je veux dire en profondeur. Finalement les seules relations véritablement intimes entre les êtres ne se jouent qu'à deux. Il aurait fallu que nous puissions nous voir séparément, entre femmes ou entre hommes, ou peut-être même de façon croisée (si tant est que Robert et moi ayons fini par trouver quelque chose à nous dire en privé). Les Toscano se moquent de notre côté fusionnel. Ils ont développé à notre égard une forme d'ironie permanente qui finit par me lasser. On ne peut plus dire un mot sans qu'ils nous renvoient l'image d'un couple confit dans un bien-être asphyxiant. L'autre jour, j'ai eu le malheur de dire que j'avais préparé un turbot en croûte (je prends des cours de cuisine, je m'amuse). Un turbot en croûte ? a dit Odile comme si j'avais parlé une langue étrangère. — Oui, un turbot avec une croûte en forme de poisson. — Mais vous étiez combien ? J'ai dit, nous deux, Lionel et moi, pour nous deux. Pour vous deux seuls, c'est effrayant ! a dit Odile. Ma cousine Josiane qui était avec nous a dit, pourquoi, moi je pourrais même me préparer un turbot en croûte pour moi toute seule. Pour toi toute seule, oui, ça prend une autre dimension, a surenchéri Robert, un turbot en croûte avec la croûte en forme de poisson uniquement pour soi, là on atteint le tragique. En général je fais mine de ne pas comprendre pour ne pas que ça s'envenime. Lionel s'en fout. Quand je lui en parle, il me dit qu'ils sont jaloux et que le bonheur des autres est souvent agressif. Si on racontait ce qui nous arrive, je ne vois pas comment on pourrait nous jalouser. Mais c'est précisément parce que nous incarnons une image d'harmonie que l'aveu de la catastrophe est si difficile. J'imagine les gorges chaudes que des gens comme les Toscano en feront. Il faut revenir un peu en arrière pour comprendre la situation. Notre fils, Jacob, qui vient de fêter ses dix-neuf ans, a toujours aimé la chanteuse Céline Dion. Je dis toujours car cet engouement date de son plus jeune âge. Un jour, cet enfant entend dans une voiture la voix de Céline Dion. Coup de foudre. Nous lui achetons l'album, puis le suivant, le mur se couvre de posters et nous commençons à vivre avec un petit fan comme je suppose des milliers d'autres dans le monde. Bientôt nous sommes invités à des concerts dans sa chambre. Jacob s'habille en Céline avec une de mes combinaisons et chante en play-back par-dessus sa voix à elle. Je me souviens qu'il se fabriquait une chevelure avec les bandes magnétiques des minicassettes de l'époque qu'il dévidait. Je ne suis pas sûre que Lionel appréciait pleinement ce spectacle, mais c'était très amusant. On devait déjà essuyer les moqueries de Robert qui nous félicitait pour notre tolérance et notre largesse d'esprit. Mais c'était très amusant. Jacob grandit. Petit à petit, il ne se contente plus de chanter comme elle, mais il parle comme elle et donne des interviews dans le vide avec un accent canadien. Il fait Céline, et il fait aussi René son mari. C'était drôle. On riait. Il l'imitait à la perfection. On lui posait des questions, je veux dire on parlait à Jacob et il répondait en Céline. C'était très amusant. C'était très amusant. Je ne sais pas ce qui s'est détraqué. Comment nous sommes passés d'une passion puérile à ce... je ne sais pas quel mot employer... ce dérèglement de l'esprit ? De l'être ?... Un soir, à table, nous étions tous les trois dans la cuisine, Lionel a dit à Jacob qu'il était fatigué de l'entendre faire le clown en québécois. J'avais préparé un petit salé aux lentilles. D'habitude les deux hommes en raffolent mais il y avait dans l'atmosphère quelque chose de triste. Une sensation comparable à celle qu'on peut avoir dans l'intimité quand l'autre se retire en lui-même, et que vous y voyez un présage d'abandon. Jacob a fait mine de ne pas comprendre le mot clown. Il a répondu à son père, avec son accent québécois, qu'en dépit du fait qu'il vivait en France depuis un certain temps, il était canadienne et n'avait pas l'intention de renier ses origines. Lionel a haussé le ton en disant que ça commençait à ne plus être drôle et Jacob a répliqué qu'il ne pouvait pas se « chicaner » car il devait protéger ses cordes vocales. À partir de cette soirée terrible, nous avons commencé à vivre avec Céline Dion dans le corps de Jacob Hutner. Nous n'avons plus été appelés papa et maman, mais Lionel et Pascaline. Et nous n'avons plus eu aucune relation avec notre fils réel. Au début nous pensions qu'il s'agissait d'une crise passagère, les adolescents sont sujets à ces petits coups de délire. Mais quand Bogdana, la femme de ménage, est venue nous dire qu'il avait réclamé, avec beaucoup de délicatesse, un humidificateur pour sa voix (elle était à deux doigts de le trouver très simple pour une si grande star), j'ai senti que les choses prenaient une mauvaise tournure. Sans le dire à Lionel, les hommes sont trop terre à terre parfois, j'ai été consulter un magnétiseur. J'avais déjà entendu parler de gens possédés par des entités. Le magnétiseur m'a expliqué que Céline Dion n'était pas une entité. Et que par conséquent il n'était pas en mesure de la détacher de Jacob. L'entité

47

est une âme errante qui vient s'accrocher à un vivant. Il ne pouvait pas délivrer un homme habité par quelqu'un qui chante tous les soirs à Las Vegas. Le magnétiseur m'a conseillé d'aller voir un psychiatre. Le mot psychiatre s'est enfoncé dans ma gorge tel un bouchon d'ouate. Il m'a fallu un certain temps avant d'être capable de le formuler à la maison. Lionel s'est montré plus lucide. Je n'aurais jamais pu traverser cette épreuve sans la stabilité de Lionel. Mon mari. Mon cœur. Un homme fidèle à lui-même, qui ne s'est jamais mis en avant et qui n'a pas d'attirance pour les chemins tortueux. Un jour, Robert avait dit de lui, c'est un homme qui cherche la joie, qui est en recherche de bonheur, mais de bonheur je dirais «cubique». Nous avions ri de la méchanceté du terme, j'avais même donné une tape à Robert. Mais oui après tout, cubique. Solide. Debout de tous côtés. Nous avons réussi à emmener Jacob chez un psychiatre en lui faisant croire que c'était un oto-rhino. Le psychiatre a préconisé un séjour en clinique. J'ai été bouleversée de voir comment on pouvait si facilement manipuler notre enfant. Jacob a franchi gaiement le pas de la maison de santé, persuadé d'entrer en studio d'enregistrement. Un genre de studio-hôtel réservé aux stars de cet acabit pour qu'elles n'aient pas à faire le trajet chaque matin. Le premier jour, en entrant dans la chambre vide et blanche, j'ai été à deux doigts de me jeter à ses pieds et d'implorer son pardon pour cette trahison. À tout le monde, nous avons dit que Jacob était parti en stage à l'étranger. À tout le monde, y compris aux Toscano. La seule personne qui partage notre secret est Bogdana. Elle persiste à lui préparer des gâteaux serbes aux noix et au pavot, auxquels il ne touche pas car Jacob n'aime plus ce qu'il aimait auparavant. Physiquement, il reste normal, il n'imite pas une femme. C'est une chose beaucoup plus profonde qu'une imitation. Lionel et moi avons fini par l'appeler Céline. Entre nous, il nous arrive de dire *elle*. Le docteur Igor Lorrain, le médecin psychiatre qui s'occupe de lui dans l'établissement, nous dit qu'il n'est pas malheureux sauf quand il regarde les informations. Il est obsédé par le caractère arbitraire de sa chance et de son privilège. Les infirmières se demandent si elles ne vont pas lui enlever la télévision car il pleure devant tous les journaux du soir, même devant une récolte anéantie par la grêle. Le psychiatre s'inquiète aussi d'un autre aspect de son comportement. Jacob descend dans le hall pour signer des autographes. Il enroule plusieurs écharpes autour de son cou pour ne pas s'enrhumer, tournée mondiale oblige, plaisante le médecin (je n'aime pas beaucoup ce médecin), et il se poste devant la porte tournante, persuadé que les gens qui entrent dans la clinique ont fait des kilomètres pour le voir. Il était là quand nous sommes arrivés hier après-midi. Je l'ai vu, depuis la voiture, avant d'arriver sur le parking. Penché vers un enfant, derrière les vitres de la porte tournante, absurdement amical, griffonnant quelque chose sur un petit cahier. Lionel connaît mes silences. Une fois la voiture garée il a regardé les platanes et il a dit, il était de nouveau en bas ? J'ai hoché la tête et on s'est serrés dans les bras sans pouvoir parler. Le docteur Lorrain nous dit que Jacob l'appelle Humberto. Nous lui avons expliqué qu'il le prenait sans doute pour Humberto Gatica, son ingénieur du son, enfin je veux dire l'ingénieur du son de Céline. C'est assez logique si on réfléchit, car ils ressemblent tous les deux au cinéaste Steven Spielberg. De la même façon, nous avons entendu Jacob appeler Oprah (comme Oprah Winfrey) l'infirmière martiniquaise qui se tortille comme si elle était flattée. Aujourd'hui a été une journée tellement difficile. D'abord il nous a dit, avec sa prononciation que je ne peux jamais imiter, vous n'avez pas l'air bienheureux en ce moment Lionel et Pascaline. Moi j'ai beaucoup d'empathie pour les autres et ça me fait de la peine de vous voir comme ça. Vous voulez que je vous chante quelque chose pour vous remonter le moral? On a dit non, qu'il devait reposer sa voix, qu'il avait déjà assez de travail avec ses enregistrements, mais il a voulu quand même. Il nous a disposés côte à côte, comme il le faisait quand il était petit, Lionel sur un tabouret, moi dans le fauteuil en skaï. Et il s'est mis à chanter, debout devant nous, avec un très bon rythme, une chanson qui s'appelle *Love Can Move Mountains*. À la fin, on a fait ce qu'on faisait quand il était petit, on a applaudi très fort. Lionel a passé son bras sur mon épaule pour m'empêcher de faiblir. En partant le soir, on a entendu dans le couloir des gens s'interpeller avec l'accent canadien. Eh David Foster viens voir! Est-ce qu'Humberto est descendu? Demande à Barbra!... Celle-là aussi elle devrait faire son *two years break*!... On a entendu pouffer et on a compris que le personnel soignant s'amusait à singer Céline et son entourage. Lionel ne l'a pas supporté. Il est entré dans la salle d'où émanaient les rires et il a dit avec une voix solennelle, qui sur-le-champ m'a paru même à moi ridicule, je suis le père de Jacob Hutner. Il y a eu un silence. Et personne ne savait quoi dire. Et moi j'ai dit, viens Lionel, ce n'est pas très grave. Et les infirmiers ont commencé à s'excuser en bredouillant. Et moi j'ai tiré mon mari par la manche. Nous ne savions même plus où était l'ascenseur, nous sommes descendus, égarés, par des escaliers qui résonnent quand on marche dessus. Dehors il faisait presque nuit, il pleuvait un peu. J'ai enfilé mes gants et Lionel s'est mis à marcher vers le parking sans même m'attendre. J'ai dit, attends-moi mon cœur. Il s'est retourné, les yeux plissés à cause des gouttes, je lui ai trouvé une toute petite tête et des cheveux amoindris sous la lumière du lampadaire. J'ai pensé, il faut reprendre notre vie normale, il faut que Lionel retourne au bureau, il faut continuer à être gais. Dans la voiture j'ai dit que j'avais envie d'aller à la Cantine russe, boire de la vodka et manger des pirojki. Et puis j'ai demandé, c'est qui d'après toi Barbra ? Barbra Streisand, a dit Lionel. — Oui, mais dans la clinique ? Tu crois que c'est la chef de l'étage avec le long nez ?

Paola Suares

Je suis très sensible aux lumières. Je veux dire psychiquement. Je me demande si tout le monde est sensible de cette façon à la lumière ou s'il s'agit d'une vulnérabilité particulière. La lumière extérieure, je m'en accommode. Un temps triste, je m'en accommode. Le ciel est pour tout le monde. Les hommes traversent le même brouillard. Les intérieurs vous renvoient à vous-même. La lumière des lieux clos m'attaque personnellement. Elle frappe les objets et mon âme. Certaines lumières me privent de tout sentiment d'avenir. Quand j'étais enfant, je mangeais dans une cuisine donnant sur une cour aveugle. L'éclairage qui venait du plafond rendait tout cafardeux et donnait le sentiment d'être oublié du monde. Quand nous sommes arrivés, vers huit heures du soir, devant le centre hospitalier du Xe arrondissement où Caroline venait d'accoucher, j'ai proposé à Luc de monter avec moi, mais il a répondu qu'il préférait attendre dans la voiture. Il m'a demandé si j'en aurais pour longtemps et j'ai dit, non, non, bien que cette question m'ait paru un peu déplacée pour ne pas dire vulgaire. Il pleuvait. La rue était déserte. Le hall de la maternité également. J'ai frappé à la porte de la chambre. Joël m'a ouvert. Assise sur le lit, en robe de chambre, pâle, heureuse, Caroline tenait une petite fille, toute minuscule dans ses bras. Je me suis penchée. Elle était jolie. Très fine, très jolie vraiment. Je n'ai eu aucun mal à le dire et à les féliciter. Il faisait une chaleur extrême dans la pièce. J'ai demandé un vase pour le bouquet d'anémones. Joël m'a dit que les fleurs étaient interdites dans les chambres et que je devrais les reprendre avec moi. J'ai enlevé mon manteau. Caroline a donné le bébé à son mari et s'est glissée dans son lit. Joël a reçu dans ses bras le petit fardeau et s'est assis en dodelinant, bouffi d'engendrement, dans le fauteuil en skaï. Caroline a sorti un catalogue Jacadi et m'a montré le lit pliant de voyage. J'ai noté la référence. Sur une étagère en Formica, il y avait des paquets encore à moitié emballés et plusieurs bouteilles de gel hydro-alcoolique. J'ai demandé s'il y avait un service de réanimation dans l'établissement car j'étais au bord de l'apoplexie. Caroline a dit qu'on ne pouvait pas ouvrir la fenêtre à cause de la petite et m'a proposé des pâtes de fruits décolorées. Un biberon jetable et un lange froissé traînaient dans le berceau transparent. Sous la lumière étrange du plafonnier, tous les tissus, draps, serviettes, bavoirs, étaient jaunes. Dans ce monde confiné, indescriptiblement terne, commençait une vie. J'ai caressé le front de la petite endormie, j'ai embrassé Joël et Caroline. Avant de sortir, j'ai posé les anémones amollies par la chaleur sur un comptoir du hall. Dans la voiture, j'ai dit à Luc que la fille de mon amie était vraiment jolie. Il a demandé, qu'est-ce qu'on fait ? On va chez toi ? Et j'ai dit, non. Luc a paru surpris. J'ai dit, j'ai envie de changer. Il a mis le contact et a démarré la voiture au hasard. J'ai senti que ça le contrariait. — Je ne supporte plus cette facilité d'aller chez moi à chaque fois. Luc n'a pas répondu. Je n'aurais pas dû le dire de cette façon. J'ai regretté le mot facilité, mais on ne peut pas tout maîtriser. Il pleuvait toujours. On a roulé sans se parler. Il s'est garé juste avant la Bastille. On a marché jusqu'à un restaurant qu'il connaissait et qui était complet. Luc a discuté mais il n'y avait rien à faire. On était déjà loin de la voiture et on avait beaucoup tourné avant de trouver une place. À un moment, dans la rue, j'ai dit que j'avais froid et Luc a dit d'un ton que j'ai senti agacé, allons là. — Non, pourquoi là ? — Tu as froid. Nous sommes entrés dans un endroit qui ne me plaisait pas du tout et Luc a tout de suite accepté la table que proposait le patron. Il m'a demandé si ça me convenait pendant qu'on s'asseyait. La soirée avait déjà pris une tournure bancale, je n'ai pas eu le courage de dire non. Il s'est assis devant moi, les coudes sur la table, mains croisées en faisant jouer ses doigts. J'avais toujours froid et je ne pouvais pas enlever mon manteau ni mon écharpe. Le garçon a apporté le menu. Luc a fait semblant de s'y intéresser. Il avait les traits tirés sous le néon fade. Il a reçu sur son portable un message de sa plus jeune fille qu'il m'a montré. «On mange une raklet!» Sa femme et ses enfants étaient en vacances à la montagne. J'en ai voulu à Luc de son manque de finesse, entre parenthèses je trouve pathétique ce gâtisme parental. Mais j'ai souri aimablement. J'ai dit, elle a de la chance. Luc a dit, oui. Un oui appuyé. Sans légèreté. Je n'ai pas été d'humeur à savoir me protéger de cette intonation. J'ai dit, tu ne les rejoins pas? — Si, vendredi. J'ai pensé, qu'il aille en enfer. Il n'y avait strictement rien que je puisse manger sur cette carte. D'ailleurs sur aucune carte du monde à mon avis et j'ai dit, je n'ai pas faim, j'aimerais juste un verre de cognac. Luc a dit, moi je prendrais bien une escalope panée avec des frites. J'ai été attaquée par la mélancolie dans ce box minable, soi-disant intime. Le garçon a nettoyé la table en bois verni qui n'était même pas vraiment propre après son passage. Je me demande si les hommes, sans se l'avouer, souffrent de ce genre d'attaque. J'ai pensé à la petite fille qui vivait ses premières heures, emmaillotée dans la chambre cireuse. M'est revenue une histoire que j'ai aussitôt racontée à Luc pour meubler. Un soir, dans un dîner, un psychiatre, qui est aussi psychanalyste, a rapporté les mots d'un de ses patients qui souffrait de solitude. Ce patient lui avait dit, quand je suis chez moi, j'ai peur que quelqu'un arrive et voie à quel point je suis seul. Le psychanalyste avait ajouté, en ricanant légèrement, le type est complètement en boucle. Ça aussi je l'ai dit à Luc. Et Luc, en commandant un verre de vin blanc, a ricané de la même

55

façon qu'Igor Lorrain, le psychanalyste, d'une façon bête, et prosaïque, et détestable. J'aurais dû partir, le planter dans ce box ridicule, mais à la place j'ai dit, je voudrais voir où tu vis. Luc a fait l'étonné, celui qui n'est pas sûr de comprendre. J'ai répété, je voudrais aller chez toi, voir comment tu vis. Luc m'a regardé comme si je redevenais un peu intéressante et a chantonné, aha chez moi polissonne ?... J'ai hoché la tête d'une façon vaguement espiègle, et je m'en suis voulu de cette minauderie, de cette incapacité à tenir mon propre cap en face de Luc. J'ai quand même dit, repartant en arrière (on venait de m'apporter mon verre de cognac), tu n'as pas aimé cette histoire du patient ? Tu ne l'as pas entendue comme une parfaite allégorie de l'absence ? Absence de quoi ? a dit Luc. — De l'autre. — Si, si, bien sûr a dit Luc en appuyant sur le pot de moutarde. Tu es sûre que tu ne veux rien manger ? Prends des frites au moins. J'ai pris une frite. Je ne suis pas habituée au cognac ni à aucun alcool fort. Ma tête tourne à la première gorgée. Luc n'avait même pas eu l'idée de m'emmener à l'hôtel. Il s'est tellement habitué à venir chez moi qu'il n'a pas su trouver la moindre idée de rechange. Les hommes sont d'une fixité totale. C'est nous qui créons le mouvement. On s'épuise à animer l'amour. Depuis que je connais Luc Condamine, je me mets perpétuellement en quatre. Des jeunes bruyants, pleins d'énergie, se sont installés dans le box derrière nous. Luc m'a demandé si je voyais les Toscano en ce moment. On s'est connus chez les Toscano. Luc est le meilleur ami de Robert. Ils travaillent dans le même journal mais Luc est grand reporter. J'ai dit que je rentrais tard et que je voyais peu de monde. Luc m'a dit qu'il trouvait Robert déprimé et qu'il lui avait présenté une fille. Ça m'a surprise parce que j'ai toujours pensé que Robert n'était pas le même genre d'homme que Luc. J'ai dit, je ne savais pas que Robert avait des aventures. — Il n'en a pas, c'est bien pour ça que je m'en occupe. Je lui ai rappelé qu'étant l'amie d'Odile je ne pouvais pas partager ce genre de confidences. Luc a ri en s'essuyant la bouche. Il a pincé ma joue avec une semi-pitié. Il avait déjà englouti son bol de frites et attaquait le reste de son escalope. J'ai dit, c'est qui? — Oh non Paola! Tu es l'amie d'Odile, tu ne veux pas savoir! — C'est qui? Je connais? — Non tu as raison, ce serait moche que tu le saches. — Oui ce serait très moche. Bon, dis. — Virginie. Secrétaire médicale. — Tu la connais d'où?... Luc a esquissé d'un geste le vaste monde de ses relations. J'étais gaie subitement. J'avais bu le verre entier de cognac à une vitesse inusitée. Mais j'étais gaie parce que Luc lui-même l'était redevenu. Il a commandé une tarte à l'abricot avec deux cuillères. Elle était acide et trop crémeuse mais on s'est battus pour le dernier fruit. Les jeunes riaient derrière nous et je me suis sentie jeune comme eux. J'ai dit, tu m'emmènes chez toi Luc? Il a dit, allons-y. Je n'ai plus su si c'était une bonne idée. Je n'avais pas les idées très claires. Pendant un moment les choses étaient encore légères. En courant sous la pluie. Dans la voiture, au début, l'humeur est restée légère. Puis j'ai fait tomber un des CD qui se trouvaient dans la trappe centrale. Le disque est sorti de sa pochette et a roulé sous mon siège. Quand je l'ai récupéré, Luc avait déjà ramassé la pochette. Tout en conduisant, il m'a pris le CD des mains et l'a remis lui-même dans l'emballage. Puis il l'a rangé à sa place initiale en tapotant pour recréer un alignement. Ça s'est fait sans bruit. Sans mots. Je me suis sentie maladroite et même peut-être coupable d'indiscrétion. J'aurais pu déduire de cet empressement que Luc Condamine était maniaque mais bêtement, j'ai eu envie de pleurer comme une enfant prise en faute. Je n'ai plus pensé que c'était une bonne idée d'aller chez lui. Dans le hall de son immeuble, Luc a ouvert avec ses clés une porte vitrée. Derrière, il y avait un landau et une poussette pliée accrochés à la rampe. Luc m'a fait passer devant lui et nous sommes montés à pied jusqu'au troisième étage, dans un escalier mangé par un ascenseur invisible. Luc a éclairé l'entrée de son appartement. J'ai distingué des rayonnages avec des livres et une patère où étaient pendus anoraks et manteaux. J'ai ôté le mien, mes gants, mon écharpe. Luc m'a introduite dans le salon. Il a réglé un lampadaire halogène et m'a laissée seule pendant un instant. Il y avait un canapé, une table basse, des chaises disparates, comme dans tout salon. Un fauteuil en cuir assez usé. Une bibliothèque, des livres, des photos dans des cadres dont une de Luc, dans le bureau ovale, hypnotisé par Bill Clinton. Un assemblage d'éléments aléatoires. Je me suis assise sur le bord du fauteuil en cuir. J'avais déjà vu quelque part l'imprimé des rideaux. Luc est revenu, il avait enlevé sa veste. Il m'a dit, tu veux boire quelque chose ? J'ai dit, un cognac, comme si en l'espace d'une soirée j'étais devenue une femme qui boit du cognac à tout bout de champ. Luc a rapporté une bouteille de cognac avec deux verres. Il s'est assis sur le canapé et nous a servis. Il a baissé l'intensité du lampadaire, il a allumé une lampe en tissu plissé, et il s'est vautré en arrière sur les coussins en me contemplant. J'étais assise sur quelques centimètres de fauteuil, droite, les jambes croisées, essayant de me donner un genre à la Lauren Bacall avec mon verre d'alcool. Luc s'enfonçait dans le sofa, les jambes écartées. Entre lui et moi, sur une sorte de guéridon, il y avait une photo encadrée de sa femme riant, apparemment dans un golf miniature, avec leurs deux filles. Luc a dit, Andernos-les-Bains. Ils ont une maison de famille à Andernos-les-Bains. Sa femme est bordelaise. Ma tête commençait à tourner un peu. Avec une lenteur que j'ai trouvée presque mélodramatique, Luc s'est mis à déboutonner sa chemise d'une main. Puis il en a écarté les pans. J'ai compris que l'idée était que je fasse la même chose, que je me dépouille au même rythme à quelques mètres de lui. Luc Condamine a un grand empire sur moi de ce point de vue. J'avais une robe, et par-dessus, un cardigan. J'ai découvert une épaule. Puis j'ai retiré une manche du cardigan pour le devancer. Luc a retiré une manche de sa chemise. J'ai enlevé le cardigan que j'ai jeté par terre. Il a fait pareil avec sa

chemise. Luc était torse nu. Il me souriait. J'ai soulevé ma robe et j'ai roulé un bas. Luc a retiré ses
chaussures. J'ai retiré l'autre bas, je l'ai noué en
boule et le lui ai lancé. Luc a défait sa braguette. J'ai
attendu un peu. Il a libéré son sexe et tout à coup
j'ai réalisé que le canapé était turquoise. Un turquoise chatoyant sous la lumière artificielle d'alcôve,
et j'ai pensé qu'au milieu du reste c'était assez sur-
prenant d'avoir choisi cette couleur de canapé. Je me
suis demandé qui était responsable de la décoration
dans ce couple. Luc s'est allongé dans une position
lascive que j'ai trouvée à la fois attirante et embarras-
sante. J'ai regardé la pièce, les tableaux dans leur
fausse pénombre, les photos, les lampions maro-
cains. Je me suis demandé à qui appartenaient les
livres, la guitare, l'horrible pied d'éléphant. J'ai dit,
tu ne quitteras jamais tout ça. Luc Condamine a
redressé la tête et m'a contemplée comme si je venais
de dire une phrase complètement saugrenue.

Ernest Blot

Mes cendres. Je ne sais pas où il faudra les mettre. Les enfermer quelque part ou les disperser. Je me pose la question, installé dans la cuisine, en robe de chambre devant l'ordinateur portable. Jeannette va et vient, comme une femme heureuse de se déployer un jour férié. Elle ouvre des placards, actionne des machines, fait tinter des couverts. J'essaye de lire un journal dans une version électronique. Je dis, Jeannette!… S'il te plaît. Ma femme répond, tu n'es pas obligé de te mettre dans la cuisine au moment où je prépare le petit déjeuner. Un grondement d'intempérie nous parvient de la fenêtre. Je me sens usé, voûté, fronçant malgré les lunettes. Je contemple ma main errant sur la table, serrant cet ustensile qu'on appelle *souris* ; un corps en lutte avec un monde auquel il n'appartient plus. Les vieux, des gens d'une autre époque mis dans le futur, a dit l'autre jour mon petit-fils Simon. Un génie ce gosse. La pluie se met à battre contre la vitre et me viennent des images de mer, de rivière, de cendres. Mon père a été incinéré. On l'a récupéré dans une boîte en métal carrée, laide, peinte en marron qui était la couleur des murs de classe du collège Henri-Avril à Lamballe. J'ai dispersé ses cendres avec ma sœur Marguerite et deux cousins sur un pont à Guernonzé. Il voulait être dans la Braive. À cent mètres de la maison où il était né. À six heures du soir. En pleine ville. J'avais soixante-quatre ans. Quelques mois après mon quintuple pontage. Il n'y a pas d'endroit où il y a son nom. Marguerite ne parvient pas à se faire à l'idée qu'il ne soit pas localisé. Quand j'y vais — une fois par an, c'est loin —, tantôt je vole une fleur, quelque part sur un flanc, tantôt j'en achète une, que je jette furtivement. Elle part dans l'eau. Et je passe dix minutes de plénitude. Mon père avait peur d'être enfermé comme son frère. Un frère qui était son contraire. Un flambeur. Un genre de Gatsby le magnifique. Quand il entrait dans un restaurant, le personnel se prosternait. Lui aussi a été incinéré. Sa dernière femme a voulu le mettre avec sa famille, dans la tombe de pharaon qu'ils ont. Le sous-fifre des pompes funèbres a entrouvert la porte en bronze ciselé, il a posé l'urne sur la première des douze étagères en marbre puis il a refermé. Dans la voiture, en revenant du cimetière mon père a dit, toute ta vie tu te vantes d'entrer par la grande porte, pour finir on te glisse dans un entrebâillement et on te balance au hasard. Moi aussi, j'aimerais me fondre dans un courant. Mais depuis que j'ai vendu Plou-Gouzan L'Ic, je n'ai pas de rivière. Quant à ma rivière de l'enfance, elle n'est plus agréable. Elle était sauvage, des herbes poussaient entre les pierres, il y avait un mur de chèvrefeuille tout du long. Aujourd'hui les berges sont bétonnées, il y a un parking à côté. Ou alors en mer. Mais c'est trop vaste (et j'ai peur des requins). Je dis à Jeannette, je voudrais que tu jettes mes cendres dans un cours d'eau mais je n'ai pas encore choisi lequel. Jeannette arrête le grille-pain. Elle s'essuie les mains avec le torchon qui traîne et s'assoit devant moi. — Tes cendres ? Tu veux être incinéré Ernest ? Trop de désarroi dans son visage. Trop de pathos. Je ris avec toutes mes dents méchantes, oui. — Et tu le dis comme ça, comme si tu parlais de l'orage ? — Ce n'est pas un grand sujet de conversation. Elle se tait. Elle lisse le tissu sur la table, tu sais que je suis contre. — Je le sais, mais je ne veux pas être empilé dans un caveau Jeannette. — Tu n'es pas obligé de tout faire comme ton père. À soixante-treize ans. — C'est le bon âge pour faire comme son père. Je replace mes lunettes. Je dis, aurais-tu la gentillesse de me laisser lire ? Tu me poignardes et ensuite tu retournes à ton journal, elle répond. J'aimerais bien qu'un journal apparaisse sur l'écran. Il me manque un mot de passe, un identifiant, est-ce que je sais ? Notre fille Odile s'est mis en tête de me recycler. Elle a peur que je me rouille et que je m'isole. Quand j'étais aux affaires, personne ne me demandait d'être au diapason de la modernité. Des corps sinueux voltigent sur l'écran. Ça me rappelle les mouches qui flottaient devant mes yeux quand j'étais enfant, j'en avais parlé à une petite copine. Je lui avais demandé, est-ce que ce sont des anges ? Elle m'avait dit que oui. J'en avais tiré un certain orgueil. Je ne crois en rien. Certainement pas à toutes ces imbécillités religieuses. Mais un peu aux anges. Aux constellations. À mon rôle, même infinitésimal, dans le livre des causes et des effets. Il n'est pas interdit de s'imaginer partie d'un tout. Je ne sais pas ce que Jeannette trafique avec ce torchon au lieu de continuer à faire des toasts. Elle tord les coins qu'elle enroule autour de son index. Ça me déconcentre complètement. Je ne peux pas entamer une discussion sérieuse avec ma femme. Se faire comprendre est une chose impossible. Ça n'existe pas. Particulièrement dans le cadre matrimonial où tout vire au tribunal criminel. Jeannette déroule son torchon d'un coup sec et dit d'une voix lugubre, tu ne veux pas être avec moi. Avec toi où ? je dis. — Avec moi, en général. — Mais si Jeannette, je veux être avec toi. — Non. — Dans la mort chacun est seul. Arrête avec ce torchon, qu'est-ce que tu fais ? — J'ai toujours trouvé triste que tes parents ne soient pas enterrés ensemble. Ta sœur pense comme moi. Papa est très heureux dans la Braive, je dis. Et ta mère est triste, dit Jeannette. — Ma mère est triste ! De nouveau mes dents méchantes, elle n'avait qu'à le suivre au lieu de procéder à la réduction de corps de ses parents pour intégrer le caveau familial. Qui l'obligeait ? — Tu es monstrueux Ernest. — Rien de nouveau, je dis. Jeannette aimerait m'ensevelir avec elle pour que les promeneurs voient nos deux noms. Jeannette Blot et son mari dévoué, bien arrimés dans la pierre. Elle voudrait effacer pour jamais les avanies de notre vie conjugale. Autrefois, quand j'avais découché, elle froissait mon pyjama avant l'arrivée de la femme de chambre. Ma femme compte sur la tombe pour damer le pion aux mauvaises langues, elle veut rester une petite-bourgeoise jusque dans la mort. La pluie mitraille les carreaux. Quand je revenais de Bréhau-Monge à Lamballe où était mon pensionnat, le vent du soir soufflait. Je collais mon nez aux coulures d'eau. Il y avait cette phrase de Renan « Quand la cloche sonne à dix-sept heures… ». Dans quel livre ? Je voudrais le relire. Jeannette a cessé ses manipulations de torchon. Elle regarde au loin dans le vague vers le jour troublé. Quand elle était jeune, elle avait une sorte d'air effronté. Elle ressemblait à l'actrice Suzy Delair. Le temps modifie aussi l'âme des visages. Je dis, je n'ai même pas droit à un café ? Elle hausse les épaules. Je me demande quelle sorte de journée s'annonce. Autrefois, je ne prêtais aucune attention à cette boucle vertigineuse du jour et de la nuit, je ne savais même pas qu'on était le matin, l'après-midi ou dieu sait quel moment. J'allais au ministère, j'allais à la banque, je courais les femmes, jamais je ne m'inquiétais des suites éventuelles. Il m'arrive encore d'avoir assez d'allégresse pour courir un peu, mais à partir d'un certain âge les préludes sont fatigants. Jeannette dit, on peut aussi choisir d'être incinéré sans faire disperser ses cendres. Je ne relève même pas. Je retourne à ma fausse activité cybernétique. Je ne suis pas contre un nouvel apprentissage, mais dans quel but ? Pour stimuler mes cellules cérébrales, dit ma fille. Est-ce que ça changera ma vision du monde ? Il y a déjà assez de pollen et de cochonneries dans l'air sans aller rajouter de la poussière de mort, ce n'est pas la peine, dit Jeannette. Je demanderai à quelqu'un d'autre, je dis. À Odile, ou à Robert. Ou à Jean, mais je crains qu'il ne trépasse avant moi cet idiot. Je ne l'ai pas trouvé très en forme mardi dernier. Jetez-moi dans la Braive. J'irai retrouver mon père. Veille seulement à ce qu'on ne m'inflige aucune cérémonie, pas de service funèbre ou autre singerie, pas de paroles bénies et affadissantes. Si ça se trouve, je mourrai aussi avant toi, dit Jeannette. — Non, non, tu es costaude. — Si je meurs avant toi Ernest, je veux qu'il y ait une bénédiction et que tu racontes comment tu m'as demandée en mariage à Roquebrune. Pauvre Jeannette. Dans un temps qui n'est plus qu'une matière confuse, j'avais demandé sa main à travers le judas d'un cachot médiéval où je l'avais enfermée. Si elle savait comme Roquebrune a perdu toute signification pour moi. Comme ce passé s'est dissous et volatilisé. Deux êtres vivent côte à côte et leur imagination les éloigne chaque jour de façon de plus en plus définitive. Les femmes se construisent, à l'intérieur d'elles-mêmes, des palais enchantés. Vous y êtes momifié quelque part mais vous n'en savez rien. Aucune licence, aucun manque de scrupules, aucune cruauté ne sont tenus pour réels. À l'heure de l'éternité, il nous faudra raconter une histoire de jouvenceaux. Tout est malentendu, et torpeur. — N'y compte pas Jeannette. Je disparaîtrai avant toi heureusement. Et tu assisteras à ma crémation. Ça ne sent plus le cochon grillé comme jadis rassure-toi. Jeannette repousse sa chaise et se lève. Elle jette son torchon sur la table. Elle éteint la gazinière où s'épuise l'eau de mes œufs et débranche le grille-pain. En quittant la pièce, elle me lance, heureusement que ton père n'a pas choisi de se faire découper en morceaux, tu voudrais te faire découper en morceaux aussi. Je crois qu'elle éteint le plafonnier également. Le jour ne dispense aucune lumière et je reste dans un débarras sombre. Je sors de ma poche le paquet de Gauloises. J'ai promis au docteur Ayoun de ne plus fumer. Comme je lui ai promis de manger de la salade et des steaks grillés. Il est gentil cet Ayoun. Une seule, ça ne me tuera pas. Mes yeux tombent sur le haveneau à crevettes en bois, accroché au mur depuis des années. Il y a cinquante ans, quelqu'un le plongeait sous les algues et dans les failles. Autrefois, Jeannette mettait des bouquets de thym, du laurier, toutes sortes d'herbes dans le filet. Les objets s'amoncellent et ne servent plus à rien. Et nous non plus. J'écoute la pluie qui a baissé d'un ton. Le vent aussi. J'incline le couvercle de l'ordinateur. Tout ce qui est sous nos yeux est déjà passé. Je ne suis pas triste. Les choses sont faites pour disparaître. Je m'en irai sans histoire. On ne trouvera pas de cercueil, pas d'os. Tout continuera comme toujours. Tout partira gaiement dans l'eau.

Philip Chemla

J'aimerais souffrir d'amour. L'autre soir, au théâtre, j'ai entendu cette phrase «La tristesse au sortir des rapports sexuels intimes, celle-là nous est familière. (…) Oui celle-là nous savons y faire front». C'était dans *Oh les beaux jours* de Beckett. Oh les beaux jours de tristesse que je ne connais pas. Je ne rêve pas d'union, d'idylle, je ne rêve d'aucune félicité sentimentale, plus ou moins durable, non, je voudrais connaître une certaine forme de tristesse. Je la devine. Je l'ai peut-être déjà éprouvée. Une impression à mi-chemin entre le manque et le cœur gros de l'enfance. Je voudrais tomber, parmi les centaines de corps que je désire, sur celui qui aurait le don de me blesser. Même de loin, même absent, même gisant sur un lit, me présentant son dos. Sur l'amant muni d'une lame indiscernable qui écorche. C'est la signature de l'amour, je le sais par les livres que je lisais il y a longtemps avant que la médecine ne vole tout mon temps. Entre mon frère et moi, il n'y a jamais eu un mot. Quand j'avais dix ans, il est venu dans mon lit. Il avait cinq ans de plus que moi. La porte était entrouverte. Je n'ai pas bien compris de quoi il s'agissait mais je savais que c'était interdit. Je ne me souviens pas des choses précises que nous faisions. Pendant des années. Des caresses, des frottements. Je me souviens du jour où il est venu, et de ma première jouissance. C'est tout. Je ne suis pas sûr qu'on s'embrassait mais si j'en crois la place que ça a pris ultérieurement dans ma vie, il devait m'embrasser. Au fur et à mesure du temps, et jusqu'à son mariage, c'est moi qui venais le solliciter. Aucun mot entre nous. À part *non* quand je me présentais. Il disait non, mais il cédait toujours. Entre mon frère et moi, je ne me souviens que de silences. Pas d'échanges, pas de langage pour entretenir une vie imaginaire. Aucune coïncidence entre le sentiment et le sexe. Au fond du jardin, il y avait le garage. Par un carreau cassé, je regardais la vie de la rue. Une nuit, un éboueur m'a vu et m'a fait un clin d'œil. C'était la nuit, le noir, l'homme défendu sur son char. Après, quand j'étais moins jeune, je partais à la chasse aux éboueurs. Mon père était abonné à la revue *Vivante Afrique*. Il avait un frère en Guinée. C'était ma première revue porno. Des corps mats sur le papier mat. Des paysans massifs, protecteurs, presque nus, qui étincelaient dans la page. Sur un mur, au-dessus de mon lit, j'avais accroché Néfertiti. Elle veillait comme une icône intouchable et sombre. Avant l'internat, j'allais m'offrir aux Arabes dans les squares. Je disais, sers-toi de moi. Un jour, dans un escalier, j'ai senti pendant qu'on se déshabillait que le type allait me piquer mon fric. J'ai dit, tu veux de l'argent ? Il a fondu dans mes bras. Les choses sont devenues simples, presque tendres. Mon père ignore tout un pan de ma vie. C'est un homme droit, attaché à la filiation. Un juif authentique et bon. Souvent je pense à lui. Je me sens plus libre depuis que je paye. Ma place est plus légitime bien qu'il me faille réparer le rapport de pouvoir. Je discute avec certains garçons. Je m'inquiète de leur vie, je leur témoigne de l'estime. En secret je dis à mon père, il y a bien un petit travers mais le chemin principal est respecté. Le samedi soir ou parfois en semaine, après mes consultations, quand je n'ai pas de réunion, je vais au bois, dans les cinés, dans les zones où se trouvent les garçons qui me conviennent. Je leur dis, j'aime les grosses queues. J'exige de la voir. Ils la sortent. Ça bande ou non. Depuis quelque temps, quand je choisis quelqu'un, je veux savoir s'il gifle. (Je ne donne pas davantage pour une gifle. La gifle ne doit pas entrer dans la négociation.) Avant je posais la question en cours de route. Aujourd'hui je demande d'abord. C'est une question inachevée. La vraie serait celle-ci : est-ce que tu gifles ? Et tout de suite après, est-ce que tu consoles ? On ne peut pas la poser. On ne peut pas non plus dire, console-moi. Le plus loin que je puisse aller est, caresse-moi le visage. Dire plus, je n'oserais pas. Il y a des mots qui n'ont pas lieu d'être là. C'est un étrange impératif, *console-moi*. Parmi tous les autres impératifs, lèche-moi, gifle-moi, embrasse-moi, mets ta langue (beaucoup ne le font pas), on ne peut pas imaginer console-moi. Ce que je veux vraiment ne peut pas s'énoncer. Être frappé au visage, offrir mon visage aux coups, mettre à disposition mes lèvres, mes dents, mes yeux, et puis subitement être caressé, quand je ne m'y attends pas, et à nouveau frappé au bon rythme, à la bonne mesure, et quand j'aurai joui, être pris dans les bras, porté, couvert de baisers. Ça n'existe pas cette perfection, en dehors de l'amour que je ne connais pas, peut-être. Depuis que je paye et que je peux ordonner les événements, je suis rendu à moi-même. Je fais ce que je ne sais pas obtenir dans la vie réelle : je m'agenouille, je m'asservis. J'enfonce mes genoux dans la terre. Je retourne à la soumission totale. L'argent nous lie comme n'importe quel attachement. L'Égyptien a mis ses mains sur mon visage. Il m'a pris le visage, il a posé ses paumes contre mes joues. Ma mère faisait ce geste quand j'avais des otites, elle voulait atténuer la brûlure de fièvre avec sa main. Autrement, dans la vie normale, elle était distante. L'Égyptien a léché ma bouche. Il a disparu dans la nuit, comme les éboueurs autrefois. Je le cherche depuis. J'arpente la contre-allée, je m'enfonce dans le bois. Il n'y est pas. Si je fais l'effort, je perçois encore l'humidité de sa langue sur mes lèvres. Un condensé vertigineux d'une chose que j'ignore. Jean Ehrenfried, un patient auquel je suis attaché, m'a offert les *Élégies de Duino* de Rilke. Il m'a dit, de la poésie docteur, vous aurez peut-être le temps ? Il a ouvert le livre devant moi et m'en a lu les premiers mots (en passant j'ai noté que son timbre s'était amenuisé depuis notre dernier rendez-vous), « Qui, si je criais, m'entendrait donc, d'entre / les ordres des anges ? ». C'est un petit livre. Il est posé près de mon lit. J'ai relu la phrase en pensant à la voix restreinte d'Ehrenfried, à ses combinaisons de cravates à pois et pochettes fantaisie. La poésie m'attend sous la lampe depuis des semaines. Je me lève à six heures et demie tous les matins. Je vois mon premier patient une heure après. Je peux en voir une trentaine dans la journée. J'enseigne, j'écris des articles dans les revues internationales d'oncologie et de radiothérapie, je fais une quinzaine de congrès par an. Je n'ai plus le temps de mettre l'existence en perspective. Des amis m'entraînent au théâtre parfois. J'ai vu *Oh les beaux jours* récemment. Une petite ombrelle sous un soleil écrasant. Le corps qui s'enfonce peu à peu, aspiré par la terre, l'être qui veut perdurer *d'un cœur léger* et se réjouit de minuscules surprises. Ça je connais. Je l'admire tous les jours. Mais je ne suis pas sûr de vouloir entendre d'autres mots. Les poètes n'ont pas le sens du temps. Ces gens vous attirent dans des mélancolies inutiles. Je n'ai pas demandé le téléphone de l'Égyptien. En général, je ne demande pas. À quoi bon ? Il m'est arrivé de prendre des numéros. Pas le sien. Il a laissé quelque part en moi une trace que je ne peux pas définir. Peut-être que ça a à voir avec ce mauvais génie de Beckett. Ce n'est pas l'Égyptien que je cherche dans le bois, derrière la palissade de Passy. Je l'ai même cherché dans les cabines où je ne l'avais jamais vu. C'est une odeur de tristesse. Une chose impalpable, plus profonde que ce que nous pouvons évaluer, et qui n'a rien à voir avec le réel. Ma vie est belle. Je fais ce que j'aime. Le matin je me lève comme une pile. J'ai découvert que j'étais fort. Je veux dire apte à décider, à prendre des risques. Les patients ont mon portable, ils peuvent m'appeler n'importe quand. Je leur dois beaucoup. Je veux être à leur hauteur (c'est aussi pour cette raison que je veux me tenir à jour, et pratiquer une cancérologie autre que clinique). Je sais depuis longtemps que la mort existe. Avant de faire de la médecine, j'avais déjà l'horloge dans la tête. Je n'en veux pas à mon frère. J'ignore sa place exacte dans ma vie. La complexité humaine ne se réduit à aucun principe de causalité. Peut-être aussi que sans ces années de silence j'aurais eu le courage d'affronter l'abîme d'une relation mêlant le sexe et l'amour. Qui peut le dire ? En général, je paye après. Presque tout le temps. Il faut que l'autre me fasse confiance, comme un gage d'amitié. L'Égyptien, je l'ai payé avant. Un hasard. Il n'a pas mis le billet dans sa poche, il l'a gardé dans sa main. Le billet était dans mon champ de vision pendant que je le suçais. Il l'a mis dans ma bouche. J'ai sucé la bite et l'argent. Il a fourré le billet dans ma bouche et il a mis sa main sur mon visage. Un serment sans lendemain que personne ne connaîtra jamais. Quand j'étais enfant, je pouvais donner à ma mère un caillou ou un marron trouvés par terre. Je lui chantais aussi des petites chansons. Des offrandes à la fois inutiles et immortelles. Il m'est arrivé souvent de convaincre des patients de la seule réalité du présent. Le garçon égyptien a mis le billet dans ma bouche et a posé sa main sur mon visage. J'ai pris tout ce qu'il m'a donné, sa queue, l'argent, la joie, le chagrin.

Loula Moreno

Anders Breivik, le Norvégien qui a fusillé soixante-neuf personnes et tué huit autres avec une bombe, a dit au tribunal d'Oslo, « je suis quelqu'un de très sympathique en temps normal ». Quand j'ai lu cette phrase j'ai tout de suite pensé à Darius Ardashir. En temps normal, quand il ne s'applique pas à me détruire, Darius Ardashir est très sympathique. À part moi, sa propre femme peut-être, et celles qui ont eu le malheur de s'attacher à lui, personne ne sait que c'est un monstre. La journaliste qui m'interviewe ce matin est le genre de femme qui boit son thé avec des gestes précautionneux et toute une série de petits rituels irritants. Hier, vers six heures du soir, Darius Ardashir m'a dit, je te rappelle dans un quart d'heure. Sur la table, mon portable ne sonne pas et ne s'allume pas. Il est midi. Durant la nuit je suis presque devenue folle. La journaliste dit, vous venez d'avoir trente ans, vous avez un souhait ? — J'en ai cent. — Un parmi d'autres. Je dis, interpréter une religieuse. Ou avoir des cheveux qui ondulent. Des réponses atterrantes. Je veux faire de l'esprit. Je ne sais pas rester en surface avec simplicité. — Une religieuse! Elle fabrique un sourire un peu tordu qui est censé confirmer que je ne serais pas un premier choix dans cet emploi. — Pourquoi pas? — C'est quoi votre principal défaut? — J'en ai mille. — Celui que vous voudriez supprimer? — Mon mauvais goût. — Vous avez mauvais goût? Dans quel domaine? Je dis, les hommes. Je le regrette aussitôt. Je parle toujours trop. À côté de nous, une gamine nettoie une table. Elle passe un chiffon mouillé sur le bois ciré en effectuant le bon geste circulaire, elle déplace le porte-allumettes, elle pose la carte des pâtisseries sur une autre table puis elle remet les choses à leur place initiale et s'en va. De là où je suis, je la vois près du bar demander une autre tâche. La vraie serveuse lui donne un plateau sur lequel elle a posé des cartons publicitaires repliés en forme de tente, elle lui désigne des tables vides, la petite fille s'applique à les disposer près des violettes en pot. J'adore son sérieux. La journaliste dit, vous avez un type d'hommes? Je m'entends répondre, les mâles dangereux et irrationnels. Je tamise avec un petit gloussement, ne l'écrivez pas madame, je dis n'importe quoi. — C'est dommage. — Je ne suis pas attirée par les hommes beaux, lisses, genre *Mad Men*, j'aime les petits cabossés, qui ont l'air de mauvaise humeur, qui ne parlent pas trop. Je pourrais continuer à délayer mais je manque de m'étrangler avec un noyau d'olive. Je dis, n'écrivez pas tout ça. — Je l'ai écrit. — Ne le publiez pas, ça n'a aucun intérêt. — Au contraire. — Je n'ai pas envie de parler de moi de cette façon. — Les lecteurs sont honorés, c'est un cadeau que vous leur faites. Elle rajuste sa jupe sous ses fesses et réclame plus d'eau chaude pour son thé. Je finis les olives et commande un deuxième verre de vodka. Je me laisse embobiner, je n'ai pas d'autorité sur ces gens. La journaliste me demande si je suis enrhumée. Je dis, non, pourquoi ? Elle trouve ma voix plus grave dans la vie. Elle dit que j'ai des intonations d'alcôve. Je ris bêtement. Elle croit me faire plaisir avec cette expression idiote. Mon portable sur la table ne donne aucun signe de vie. Aucun. Aucun. La petite fille repasse tranquillement entre les canapés, son menton bien en avant. — D'où ça vient Loula Moreno ? Ce n'est pas votre vrai nom ? — Ça vient d'une chanson de Charlie Odine… « De vaines promesses sur des coins de table / Dans des lits d'imprésarios minables / Loula t'attends que l'grand jour arrive / Aux entrées des palaces que t'enjolives… » — Le grand jour arrive ? — Dans la chanson ? Non. — Pour vous il est arrivé ? — Non plus. Je finis ma vodka et je ris. C'est merveilleux qu'on ait le rire. C'est comme un joker. Ça marche dans n'importe quel sens. La gamine s'en va. Elle est redevenue une enfant avec un imperméable et un cartable. Au moment où elle disparaît derrière la porte en bois vitrée, je vois entrer Darius Ardashir. Je sais qu'il vient dans ce bar. Pour tout dire, j'ai même choisi ce bar dans l'espoir infime de le voir. Mais Darius Ardashir n'est pas avec ses habituels conspirateurs en costume et cravate sombres (je n'ai jamais compris ce qu'il faisait réellement, le genre de type dont le nom est un jour lié à la politique, le lendemain à un groupe industriel ou à une vente d'armes), il est avec une femme. Je descends mon verre d'un trait et je m'incendie la glotte. Je ne suis pas habituée à boire. Surtout pas le matin. La femme est grande, d'un genre classique avec un chignon blond. Darius Ardashir la conduit vers deux fauteuils d'angle, à côté du piano. Il a les cheveux mouillés. Il a posé sa main dans le creux de son dos. Je n'ai pas entendu la question de la journaliste. Je dis, pardon, excusez-moi ? Je lève le bras vers le garçon, je commande une autre vodka. Je dis à la journaliste, ça me réveille, je n'ai pas beaucoup dormi cette nuit. Il faut toujours que je me justifie. C'est absurde. J'ai trente ans, je suis célèbre, je peux danser sur n'importe quel précipice. Darius Ardashir tente de refermer un petit parapluie imprimé. Il lutte avec les baleines sans aucune intelligence. Il finit par aplatir les tiges de force et entortiller la toile n'importe comment. La femme rit. Cette scène me tue. La journaliste dit, vous avez la nostalgie de votre enfance ? À la façon dont elle s'est inclinée vers moi, comme on le fait avec les sourds, j'imagine qu'elle a déjà dû poser la question au moins une fois. Ah non, pas du tout, je dis, je n'aimais pas l'enfance, je voulais être grande. Elle se penche encore, elle dit un truc que je n'entends pas, je prends mon portable, je me lève, je dis, excusez-moi une seconde. Je me dirige vers les toilettes le plus discrètement possible. Je tangue un peu à cause de la vodka. Je m'observe dans la glace. Je suis pâle, j'approuve mes yeux cernés. Je suis une fille attirante. Sur mon portable j'écris, « Je te vois ». J'envoie le message à Darius Ardashir. Il y a quelques jours, je lui ai dit que j'étais son esclave et que je voulais qu'il me tienne en laisse. Darius Ardashir m'a répondu qu'il n'aimait pas être encombré et que même une mallette le dérangeait. Je retourne dans la salle sans précaution. Je ne regarde pas du côté du piano. Quand la journaliste me voit revenir, son visage s'éclaire d'une lumière quasi maternelle. Elle dit, on peut reprendre ? Je dis, oui. Je m'assois. Il a forcément reçu mon message, Darius Ardashir vit accroché à son téléphone. Je cambre les reins, j'allonge mon cou de cygne. Je ne dois surtout pas regarder dans sa direction. La journaliste farfouille dans ses notes et dit, vous avez dit... — Mon dieu. — Vous avez dit, les hommes sont les invités de l'amour. — J'ai dit ça moi ? — Oui. — Elle est pas mal cette phrase. — Vous pouvez développer ? Je dis, on va m'engueuler si je fume ? Elle dit, je le crains. Mon portable s'éclaire. Darius A. me répond. « Bonjour coquine. » Je me retourne. Darius Ardashir commande des boissons. Il porte une veste marron sur une chemise beige, la femme blonde est amoureuse de lui, ça se voit à dix kilomètres. *Bonjour coquine* comme si de rien n'était. Darius Ardashir est le génie du présent pur. La nuit efface toute trace de la veille et les mots rebondissent aussi légers que des ballons d'hélium. J'envoie « Qui est-ce ? ». Je le regrette aussitôt. J'écris « Non, je m'en fous ». Mais je l'efface, heureusement. La journaliste soupire et se laisse aller contre le dossier du fauteuil. J'écris «On devait dîner ensemble hier soir? Non?!». J'efface, j'efface. Les reproches font fuir les hommes à grandes enjambées. Au commencement Darius Ardashir me disait, je t'aime avec ma tête, avec mon cœur et avec ma queue. J'avais répété la phrase à Rémi Grobe, mon meilleur ami, qui avait dit, un poète ton type, je vais la tester, avec certaines cruches ça doit marcher. Avec moi ça marche à merveille. Je n'ai pas envie d'entendre une musique trop subtile. Je dis à la journaliste, on parlait de quoi? Elle secoue la tête, elle ne sait plus elle-même. La tête me tourne. Je fais signe au garçon, je demande un nouveau mélange salé avec les petites noix de cajou surtout. Je ne vais pas laisser le *Qui est-ce?* tout seul. C'est trop faible. D'autant qu'il ne répond pas. Une bonne idée me vient. J'écris «Dis-lui que tu n'aimes que les commencements». C'est excellent. J'envoie. Non, je ne l'envoie pas. Je fais mieux. Je hèle encore une fois le garçon. Il arrive avec les chips et les noix de cajou. Je lui demande un papier. Je dis à la journaliste, excusez-moi, c'est un peu décousu peut-être ce matin. Elle lève une main molle en signe d'abattement complet. Je n'ai pas le temps d'être gênée. Le garçon m'apporte une grande feuille de papier machine. Je le prie d'attendre. J'écris la phrase en haut de la page et je la replie soigneusement. Je demande au garçon de la remettre discrètement à l'homme en veste marron assis près du piano, sans dévoiler sa provenance. Le garçon dit avec une voix épouvantablement claire, monsieur

Ardashir ? Je confirme d'un battement de cils. Il part. Je me jette sur le mélange de pistaches et de noix de cajou. Je ne dois absolument pas regarder ce qui se passe du côté du piano. La journaliste est sortie de sa torpeur. Elle a enlevé ses lunettes et les replace dans leur étui. Elle commence aussi à ranger sa documentation. Je ne peux pas être abandonnée là tout de suite. Je lui dis, vous savez, je me sens vieille. On ne se sent pas jeune à trente ans. Cette nuit, je ne pouvais pas dormir, j'ai lu le journal de Pavese. Vous le connaissez ? Il est sur ma table de chevet, ça fait du bien de lire des choses tristes. Il y a une phrase où il dit « les fous, les maudits ont été enfants, ils ont joué comme toi, ils ont cru que quelque chose de beau les attendait ». Ne l'écrivez pas, mais j'ai longtemps pensé que je ne serai qu'un météore dans ce métier. La journaliste me regarde avec inquiétude. Elle est gentille la pauvre. Le garçon revient avec la feuille pliée. Je tremble. Je la garde un instant dans ma main et je la déplie. En haut il y a ma phrase, « Dis-lui que tu n'aimes que les commen-cements », en bas, d'une écriture fine et noire, il a écrit « Pas toujours ». Rien d'autre. Pas de point. À qui se rapportent ces mots ? À moi ? À la femme ?… Je tourne ma tête vers l'angle du piano. Darius Ardashir et la femme sont de très bonne humeur. La journaliste se penche vers moi et dit, quelque chose de beau vous attendait Loula.

Raoul Barnèche

J'ai mangé un roi de trèfle. Pas entièrement, mais presque. Je suis un homme qui est arrivé à cette extrémité de pouvoir mettre dans sa bouche un roi de trèfle, d'en déchiqueter une partie, de le mâcher comme un sauvage mâcherait de la chair crue et de l'avaler. Je l'ai fait. J'ai mangé une carte manipulée par des dizaines d'autres avant moi, en plein tournoi de Juan-les-Pins. Je ne reconnais qu'une chose, l'erreur de départ. Jouer avec Hélène. M'être laissé prendre à la petite musique sentimentale des femmes. Cela fait des années que je sais que je ne dois plus jouer en équipe avec ma femme Hélène. L'époque où nous pouvions le faire, dans un esprit d'harmonie — le mot est exagéré et n'existe pas au bridge — disons d'indulgence, en tout cas de ma part, dans un esprit, je cherche le mot, de concilia-tion, est révolue depuis longtemps. Nous avons un jour gagné ensemble le championnat de France paire mixte open, un hasard heureux. Depuis, notre alliance n'a produit aucune étincelle et a fichu en l'air mes coronaires. Hélène ne savait pas jouer au bridge quand je l'ai rencontrée. Un copain l'a emmenée dans un café où on jouait la nuit. Elle faisait des études de secrétaire. Elle s'est assise, elle a regardé. Elle est revenue. Je lui ai tout appris. Mon père était technicien outilleur chez Renault et ma mère couturière. Hélène venait du Nord. Ses parents étaient des ouvriers du textile. Aujourd'hui ça s'est démocratisé mais autrefois des gens comme nous, il n'y en avait pas dans les clubs. Avant que je lâche tout pour le jeu, j'étais ingénieur chimiste chez Labinal. La journée à Saint-Ouen, les soirs au Darcet, place Clichy, puis ensuite dans les clubs. Les week-ends à l'hippodrome. La petite Hélène suivait. On ne peut pas communiquer la passion des cartes. Dans le cerveau, il y a une case à part. Il y a une case *cartes*. Celui qui ne l'a pas ne l'a pas. On peut prendre toutes les leçons du monde, il n'y a rien à faire. Hélène l'avait. Sur une petite distance, elle jouait honorablement. Les femmes ne peuvent pas se concentrer sur la longueur. Après treize ans de bridge séparé, un beau matin Hélène se réveille et suggère qu'on refasse le tournoi de Juan-les-Pins ensemble. Juan-les-Pins, le ciel bleu, la mer, un souvenir d'auberge au Cannet, dieu sait quelle image elle avait en tête. J'aurais dû dire non et j'ai dit oui comme tout homme vieillissant. Le drame a eu lieu à la dix-septième donne. Cinq pique demandé par nord-sud. J'entame deux de carreau, petit du mort, as chez Hélène, petit. Hélène tire son as de trèfle, nord met petit, j'ai trois trèfles par le roi, je mets le neuf, petit du mort. Que fait Hélène ? Que fait une femme à qui j'ai tout enseigné et qui est soi-disant devenue une première série Majeure ? Elle rejoue carreau. J'avais mis le neuf de trèfle, Hélène a rejoué carreau ! On avait trois levées de tête, on n'en a fait que deux. À la fin de la partie, j'ai exhibé mon roi de trèfle et j'ai crié, je le mets où maintenant lui ? Je le bouffe ? Tu veux ma mort Hélène ? Tu veux que j'aie une attaque en plein palais des congrès ? Je lui ai agité la carte sous le nez et je l'ai enfournée dans ma gueule. En commençant à la mâcher, j'ai articulé, tu l'as vu idiote mon neuf de trèfle, tu crois que je mets le neuf pour passer le temps ? Hélène était pétrifiée. Les adversaires étaient pétrifiés. Ça m'a galvanisé. On a vite envie de vomir quand on mange du carton, mais j'ai attaqué à pleine mâchoire et je me suis concentré sur la mastication. J'ai perçu un mouvement autour de nous, j'ai entendu quelqu'un rire, j'ai vu s'approcher le visage de mon ami Yorgos Katos, un ancien de la place Clichy. Yorgos a dit, qu'est-ce que tu fous Raoul, recrache cette merde mon vieux. J'ai dit, avec beaucoup d'effort, parce que je tenais à ingurgiter ce roi de trèfle, elle l'a mise où sa canne blanche ? Hein ? Sors ta canne blanche ma pauvre ! Yorgos a dit — enfin il me semble —, tu ne vas pas te mettre dans cet état pour un tournoi, Raoul, un truc de plage. C'est la dernière phrase dont je me souviens. J'ai entendu appeler l'arbitre, la table a tangué, Hélène s'est levée, elle a tendu les bras, j'ai voulu attraper ses doigts, je l'ai vue flotter avec les autres en cercle au-dessus de ma tête, j'ai senti des corps contre moi, j'ai eu un haut-le-cœur, j'ai gerbé sur le tapis de jeu, et puis plus rien. Je me suis réveillé dans une pièce vert anis que je ne connaissais pas et qui s'est avérée être notre chambre d'hôtel. Trois personnes parlaient en chuchotant sur le pas de la porte. Yorgos, Hélène et un inconnu. Puis l'inconnu est parti. Yorgos a regardé vers le lit et a dit, il ressuscite. Yorgos a les mêmes cheveux que Joseph Kessel. Un genre de tignasse léonine qui plaît aux femmes et que je jalouse. Hélène s'est précipitée à mon chevet, ça va ? Elle m'a caressé le front gentiment. J'ai dit, qu'est-ce qui se passe ? — Tu ne te souviens pas ? Tu as eu une petite crise de nerfs hier soir, pendant le tournoi. Tu as bouffé un roi de trèfle, a dit Yorgos. J'ai bouffé un roi de trèfle ? j'ai esquissé un redressement qui m'a paru un effort immense. Hélène a arrangé mes oreillers. Un rayon de soleil frappait son visage, elle était jolie comme toujours. J'ai dit, ma petite Bilette. Elle m'a souri, le docteur t'a fait une piqûre de calmant Rouli (on s'appelle Bilette et Rouli dans l'intimité). Yorgos a ouvert la fenêtre. On a entendu des cris d'enfants et une musique de manège. Me sont revenus aussitôt, je ne sais pourquoi, des images englouties, le manège vide de la station balnéaire où nous allions quand j'étais enfant, l'orgue de Barbarie, le temps gris. On était au camping. J'attendais la fin de la journée sous l'auvent de la buvette en regardant les animaux tourner. Une tristesse violente m'a attaqué. J'ai pensé, hou la la qu'est-ce qu'il m'a donné ce médecin fou ? Je vous laisse, a dit Yorgos. Tu dois rester allongé aujourd'hui. Demain tu pourras te promener. Ça va te faire du bien un peu de nature, un petit coup d'air marin. On s'est connus avec Yorgos dans un bistrot qui faisait le coin des Batignolles. On avait vingt ans. Quand le Darcet fermait, à deux heures du matin, on filait au Pont-Cardinet. On a continué la vie entière sans s'occuper de la lumière du jour. Du club au lit et du lit au club. On a joué à tous les jeux, au poker, au backgammon, on a plumé nombre de pigeons dans les arrière-salles. Au bridge, on s'est amusés, on a fait les grands championnats internationaux. C'était le dernier type qui aurait pu me recommander la nature et la promenade. Autant me prescrire la tombe. J'ai dit, qu'est-ce qui s'est passé ? C'est grave ? Tu ne t'en souviens pas Rouli ? a dit Hélène. J'ai répondu, pas nettement. Yorgos a dit, bonne chance ma grande. Il a embrassé Hélène et il est parti. Hélène m'a apporté un verre d'eau. Elle a dit, tu t'es fâché à la fin d'une donne. — Pourquoi on n'est pas au tournoi ? — On est virés. Je ne sais pas ce qu'il y a dans ces ritournelles de manège, ces limonaires qui vous fichent un bourdon terrible. J'ai dit, ferme la fenêtre Bilette, et les rideaux aussi, je vais dormir encore un peu. Le lendemain, vers midi, je me suis réveillé pour de bon au moment où Hélène revenait de la ville avec des paquets et un nouveau chapeau de paille rose. Elle m'a trouvé très bonne mine. Elle-même paraissait enchantée de ses achats, elle a dit, comment tu trouves, pas trop grand ? Il y en avait aussi avec des rubans unis. Je peux le changer, de toute façon nous devons y retourner pour t'en acheter un. J'ai dit, un chapeau de paille comme les vieillards et puis quoi encore ? Hélène a dit, le soleil tape, tu ne vas pas attraper une insolation par-dessus le marché. Une heure plus tard, j'étais assis en terrasse d'un café de la vieille ville, avec des nouvelles lunettes et un chapeau tressé. Hélène avait acheté un guide touristique et s'emballait à chaque page. Pendant ce temps, je cochais discrètement des chevaux qui me plaisaient dans *Paris Turf* (j'avais eu le droit de l'acheter mais pas de le consulter). C'est elle qui a remis l'affaire sur le tapis. Tout à coup, elle a dit, je n'ai pas beaucoup apprécié que tu me traites d'idiote devant tout le monde. — Je t'ai traitée d'idiote ma Bilette ? — Devant tout le monde. Elle a pris une petite moue d'enfant vexée. Ça c'est vraiment pas bien, j'ai dit. — Et la canne blanche, c'était vraiment odieux, on ne peut pas dire à sa femme, sors ta canne blanche ma pauvre, devant cinq cents personnes. — Devant cinq cents personnes, tu exagères un peu. — Tout le monde est au courant. — Je n'étais pas moi-même Bilette, tu l'as bien vu. — C'est quand même inquiétant que tu aies mangé cette carte. J'ai haussé les épaules et rétréci mon cou comme le ferait un homme honteux. Il faisait chaud. Des gens passaient devant nous avec des habits flottants et des sacs de toile, des enfants mangeant des glaces, des filles couvertes de breloques. Je ne trouvais rien à dire à Hélène. Je regardais passer le monde coloré et morne. Hélène a dit, et si on allait visiter le Fort carré ? Ou le musée d'archéologie ? — D'accord. Lequel des deux ? a dit

Hélène. — Celui que tu préfères. — Le musée d'archéologie peut-être. Il y a les objets trouvés dans des navires grecs, phéniciens. Des vases, des bijoux. — Formidable. En passant dans une rue proche, j'ai aperçu un bistrot dans lequel il y avait des courses en direct. J'ai dit, Bilette, et si on se séparait pendant une petite heure ? Hélène a dit, si tu rentres dans ce bar, je rentre à Paris sur-le-champ. Elle a pris le *Paris Turf* que j'avais roulé dans ma poche et s'est mise à l'agiter dans tous les sens. — À quoi ça sert d'être mariés si on ne fait rien ensemble ? À quoi ça sert ? — Ça m'ennuie les Phéniciens Bilette. — Si ça t'ennuie les Phéniciens, tu n'avais qu'à pas nous gâcher le tournoi. — Ce n'est pas moi qui ai gâché le tournoi. — Ce n'est pas toi ? Ce n'est pas toi qui es devenu fou, qui m'a insultée et qui a vomi ? — C'est moi. Mais pas sans raison. On s'était déportés sur la chaussée et une voiture nous a klaxonnés violemment. Hélène a tapé sur le capot avec le journal. Le type l'a injuriée par la fenêtre, elle a crié, ta gueule ! J'ai voulu prendre son bras pour la ramener sur le trottoir mais elle m'en a empêché. — Tu as attaqué deux de carreau Raoul, j'ai cru que tu avais un honneur à carreau. — Si j'ai besoin que tu rejoues carreau, je mets le deux de trèfle. — Comment je sais que tu as roi troisième ? — Tu ne le sais pas, mais quand tu vois que je mets le neuf, tu dois penser que c'est un appel. Ça s'appelle comment Hélène quand ton partenaire met un neuf ? Un ap-pel. — J'ai mal interprété. — Tu n'as pas mal interprété, tu ne regardes pas les cartes, ça fait des années que tu ne regardes pas les cartes. — Comment tu le sais, tu ne joues plus avec moi ! — Et pour cause ! Un petit attroupement s'était formé autour de nous. Le chapeau de paille rose d'Hélène était trop large (elle avait raison sur ce point) et je me sentais un peu ridicule avec le mien. Hélène avait les yeux mouillés et son nez commençait à rougir. J'ai remarqué qu'elle avait dû s'acheter un genre de boucles d'oreilles provençales. J'ai été soudain envahi de tendresse pour cette petite femme de ma vie et j'ai dit, pardon ma Bilette, je m'énerve pour rien, viens, allons à ton musée, ça me fera du bien de voir des amphores et tout ça. Pendant que je l'entraînais (en faisant un léger signe d'au revoir aux badauds), Hélène a dit, si ça t'ennuie Rouli les vieilles pierres, on va ailleurs ? Ça ne m'ennuie pas du tout, j'ai dit, et regarde ce que je fais. Dans un geste solennel, je lui ai repris le *Paris Turf* et je l'ai jeté dans une poubelle. Pendant qu'on marchait dans les ruelles encombrées en se tenant par la taille, j'ai dit, et puis après on ira faire un tour au casino. Il ouvre à seize heures. Si tu n'as pas envie de rester avec moi au black-jack, tu pourras jouer à la boule, ma Bilette.

Virginie Déruelle

Déjà dans l'escalier, j'ai entendu hurler Édith Piaf. Je ne sais pas comment les autres pensionnaires supportent ce volume. Je n'aime pas du tout ces voix de misère et ces roulements de « r » de gorge. Ça m'agresse. Ma grand-tante est dans une maison de retraite. Je ferais mieux de dire dans une chambre de retraite car elle n'en sort presque pas et si j'étais elle, je ferais pareil. Elle fait des patchworks au crochet. Des dessus-de-lit, des taies d'oreiller ou des carrés qui ne servent à rien. En fait, rien ne sert à quelque chose car les réalisations de ma tante sont des nids à poussière affreux et passés de mode. On les prend en faisant semblant d'être content et à peine arrivé chez soi, on les met au fin fond d'un placard. Personne n'ose les jeter par superstition et on ne trouve personne à qui les donner. Récemment, on lui a installé un lecteur de CD qu'elle peut utiliser facilement. Elle adore Tino Rossi. Mais elle écoute aussi Édith Piaf et certaines chansons d'Yves Montand. Quand je suis entrée dans sa chambre, ma grand-tante essayait d'arroser un cactus en inondant la tablette pendant que Piaf beuglait « J'irais jusqu'au bout du monde / Je me ferais teindre en blonde / Si tu me le demandais… ». J'ai tout de suite mis moins fort et j'ai dit, Marie-Paule, le cactus n'a pas besoin de trop d'eau. Pas celui-là, a dit ma grand-tante, celui-là aime l'eau, c'est toi qui viens d'éteindre l'*Hymne à l'amour* ? Je n'ai pas éteint, j'ai baissé le son. — Comment vas-tu ma chérie ? Oh la la tu ne te casses pas la figure avec ces chaussures, tu es juchée ma parole ! — C'est toi qui rapetisses Marie-Paule. — Heureusement que je rapetisse, tu as vu où je vis. « Je renierais ma patrie / Je renierais mes amis / Si tu me le demandais… » J'éteins la musique. Je dis, elle m'énerve. Qui ? dit ma tante, Cora Vaucaire ? — Ce n'est pas Cora Vaucaire, Marie-Paule, c'est Édith Piaf. Pas du tout, c'est Cora Vaucaire. L'*Hymne à l'amour*, c'est Cora Vaucaire, j'ai encore ma tête sur les épaules, dit ma tante. Bon, si tu veux. Mais c'est la chanson qui m'énerve, je suis contre les chansons d'amour, je dis. Plus elles sont connues, plus elles sont bêtes. Si j'étais reine du monde, je les interdirais. Ma tante hausse les épaules. On ne sait pas ce qui vous plaît, les jeunes d'aujourd'hui. Tu veux du jus d'orange Virginie ? Elle me montre une bouteille déjà enta-mée, ouverte il y a mille ans. Je décline et je dis, les jeunes d'aujourd'hui adorent les chansons d'amour. Tous les chanteurs en font, il n'y a que moi que ça énerve. Tu changeras d'avis le jour où tu rencontre-ras un garçon qui te plaira, dit ma tante. Elle est arrivée à m'agacer en trente secondes. Aussi vite que ma mère. Ça doit être un trait des femmes de ma famille. Sur sa table de chevet, il y a une photo encadrée de son mari fumant une pipe. Un jour elle m'a montré le tiroir de commode qui lui est entièrement dédié. Elle a gardé toutes ses lettres, ses mots, ses petits cadeaux. Je n'ai pas de souvenir précis de mon grand-oncle, j'étais trop petite quand il est mort. Je m'assois. Je me laisse tomber dans le grand fauteuil mou qui prend trop de place. C'est triste cette chambre. Il y a trop de choses, trop de meubles. Je sors de mon sac les pelotes de coton qu'elle a commandées. Elle file les ranger dans un panier au pied de son lit. Elle s'assoit dans l'autre fauteuil. Elle dit, bon alors raconte-moi un peu. Quand elle a toute sa tête, je ne comprends pas ce qu'elle fait là, seule, dans ce bagne, loin de tout. De temps en temps, au téléphone, j'ai l'impression qu'elle vient de pleurer. Mais depuis l'explosion du plat de riz, je sais que ma tante a de moins en moins sa tête sur les épaules comme elle dit. La dernière fois que mes parents et moi sommes allés chez elle, ma tante avait posé un plat en verre rempli de riz cuit de la veille sur une plaque brûlante deux heures avant le dîner. Ça avait beau chauffer, le riz restait froid en surface. Ma tante venait le touiller avec une spatule, c'est-à-dire l'éparpiller sur le plan de travail. Impossible de la conseiller ou même d'entrer dans la pièce. À un moment on l'a surprise par l'entrebâillement, les avant-bras engloutis dans le riz en train de le malaxer comme si elle shampouinait un chien galeux. À vingt heures, le plat a explosé, constellant la cuisine de grains et d'éclats de verre. C'est à la suite de cet incident que mes parents ont décidé de la mettre dans une maison. Je dis, tu aimais que Raymond fume la pipe? Il fumait la pipe? Sur la photo il fume la pipe. — Oh, il prenait un genre de temps en temps. Et puis je ne contrôlais pas tout, tu sais. Quand est-ce que tu vas te marier toi ma petite? Je dis, j'ai vingt-cinq ans Marie-Paule, j'ai tout mon temps. Elle dit, tu veux du jus d'orange? — Non merci. Je demande, vous étiez fidèles? Elle rit. Elle lève les yeux au ciel et dit, un représentant en maroquinerie, tu t'imagines, je m'en fichais pas mal tu sais! Il y a des gens dont on ne voit plus le visage de jeunesse. Il s'est effacé avec les années. D'autres, c'est le contraire, on dirait qu'ils s'allument comme des gamins. Je vois ça à la clinique avec des grands malades. Avec ma petite Marie-Paule aussi. — Il était bavard Raymond? Elle réfléchit, et puis elle dit, non, pas tellement. Un homme n'a pas besoin d'être bavard. Je dis, tu as bien raison. Elle rembobine un brin de laine autour de ses doigts, j'ai encore ma tête sur les épaules tu sais. — Je sais que tu as ta tête sur les épaules, et d'ailleurs tu vas me donner ton avis sur une chose importante. Elle dit, d'accord. Tu veux du jus d'orange? Je dis, non merci. Alors voilà. Tu te souviens que je suis secrétaire médicale? — Tu es secrétaire médicale, oui, oui, oui. — Je travaille dans une clinique avec deux cancérologues. — Oui, oui, oui. — Et il y a une patiente du docteur Chemla, de ton âge, qui vient toujours accompagnée de son fils. Il est gentil, dit ma tante. — Il est très gentil. D'autant plus gentil que sa mère est chiante. C'est un vieux. Si ça se trouve, il a même quarante ans. Mais moi j'aime bien les vieux. Je m'ennuie avec les garçons de mon âge. Un jour je me suis retrouvée à fumer une cigarette avec lui dehors. Pour te dire la vérité, je l'avais remarqué depuis un certain temps. Je te le décris : il est brun, pas très grand, il ressemble en un peu moins beau à, tu vois l'acteur Joaquin Phoenix ? Un Espagnol, dit ma tante. — Oui… enfin peu importe. Donc, nous fumons, sous l'auvent. Je lui souris. Il me sourit aussi. Nous sommes là à fumer en nous souriant. J'essaie de faire durer ma cigarette mais je la termine avant lui. Comme je suis dans le cadre de mon travail, en blouse blanche, je n'ai aucune raison de m'attarder. Je lui dis, à tout à l'heure, et je retourne dans mon sous-sol. Au fur et à mesure des mois et des consultations, j'échange quelques mots avec lui. Je combine les rendez-vous, je trouve des adresses pour des soins annexes. Un jour sa mère m'offre des chocolats, elle me dit, c'est Vincent qui les a choisis, une autre fois, je le vois devant un ascenseur qui n'arrive pas et je lui fais découvrir celui du personnel, enfin ce genre de chose. Les jours où Zawada est écrit sur le carnet (c'est leur nom), je suis contente, je me maquille avec soin. Tu veux un verre de jus d'orange ? dit ma tante. — Non merci. Il s'appelle Vincent Zawada. Tu ne trouves pas que c'est un beau nom ? Oh si, dit ma tante. — En ce moment, c'est le rêve, ils viennent toutes les semaines parce qu'elle fait une radiothérapie. Lundi, on s'est retrouvés de nouveau, lui et moi, sous l'auvent pour fumer. Cette fois-ci, je suis arrivée après. Il est comme Raymond. Pas du tout bavard. Ma tante opine. Elle m'écoute sagement, les mains posées l'une sur l'autre sur ses genoux. De temps à autre, elle regarde au-dehors. Juste devant sa fenêtre, il y a deux peupliers qui masquent en partie les immeubles d'en face. Je dis, je prends mon courage à deux mains et j'ose lui demander ce qu'il fait dans la vie. Tu comprends, c'est quand même bizarre, un homme qui est libre tout le temps dans la journée. Ma tante dit, voilà, voilà. Elle écarquille ses yeux bleu-nuit. Elle peut enfiler un fil dans le chas d'une petite aiguille sans lunettes. Je dis, il fait de la musique. Il est pianiste et il compose aussi. Au bout d'un moment, il termine sa cigarette. Et là, au lieu de retourner avec sa mère dans la salle d'attente, sans aucune raison, car nous ne sommes plus en train de parler, il reste. Il m'attend. Il n'a aucune raison de rester dehors, tu es d'accord ? Ma tante secoue la tête. D'autant qu'il fait froid et moche. On reste là tous les deux comme la première fois, en se souriant. Je ne trouve rien à dire. Je deviens timide avec cet homme alors que je suis plutôt intrépide en général. Quand je finis ma cigarette, il pousse la porte vitrée pour me laisser entrer devant lui (ce qui confirme qu'il m'avait attendue), et il me dit, prenons votre ascenseur. On aurait pu prendre chacun un ascenseur différent, ou il aurait pu ne rien dire, non ? Prenons votre ascenseur, c'est une manière de nous associer, tu ne trouves pas ? je dis. Ma tante dit, je trouve. Dans l'ascenseur, qui est un monte-brancard, très profond, il se met à côté de moi, comme si l'ascenseur était tout petit. Je te jure Marie-Paule, je dis à ma tante, je ne peux pas dire qu'il se colle à moi mais, compte tenu de la dimension de l'ascenseur, il se met vraiment très près. Malheureusement, ça va vite entre le rez-de-chaussée et moins deux. En bas, on fait quelques mètres ensemble, puis il retourne dans la salle d'attente, moi au secrétariat. Il ne s'est presque rien passé, enfin rien de précis, mais quand on s'est séparés, à l'intersection des couloirs, j'ai eu l'impression qu'on se quittait sur un quai de gare, après un voyage secret. Tu crois que je suis amoureuse, Marie-Paule ? Oh oui, tu as l'air, dit ma tante. — Tu sais que je n'ai jamais été amoureuse. Ou alors pendant deux heures. Deux heures, ce n'est pas beaucoup, dit ma tante. — Et maintenant, qu'est-ce que je fais ? Si je compte sur nos croisements à la clinique, les choses vont piétiner. Entre les patients, le téléphone, les comptes rendus de consultation, je ne suis pas du tout disponible à la clinique. Non, dit ma tante. — Tu crois que je lui plais ? Je lui plais, c'est évident ? Oh tu lui plais sûrement, dit ma tante, il est espagnol ? Méfie-toi des Espagnols. — Mais il n'est pas espagnol ! — Ah bon, tant mieux. Ma tante se lève et va à la fenêtre. Les arbres bougent avec le vent. Ils se balancent ensemble, et les branches et les feuilles s'affolent dans les mêmes directions. Elle dit, regarde mes peupliers. Regarde comme ils s'amusent. Tu as vu où on m'a mise. Heureusement que j'ai mes deux grands là. Ils me tapissent mon rebord avec leurs graines, tu sais leurs petites chenilles, ça fait

venir les oiseaux. Tu ne veux pas du jus d'orange ?
Non merci, Marie-Paule. Je dois y aller, je dis. Ma
tante se lève et va farfouiller dans son panier à laine.
Elle dit, tu pourrais me rapporter une pelote de fil
Diana-Noel, vert, comme celui-là ? Je dis, oui bien
sûr. Je la serre dans mes bras. Elle est minuscule ma
Marie-Paule. Ça me fend le cœur de la laisser là
toute seule. Dans l'escalier, j'entends à nouveau
Édith Piaf. Il me semble que quelqu'un chante avec
elle. Je remonte quelques marches et je distingue, sur
une musique entraînante, la voix frêle de ma tante
« C'est inouï, quand même / T'en fais jamais trop
/ T'es l'homme, t'es l'homme, t'es l'homme / T'es
l'homme qu'il me faut ».

Rémi Grobe

Je serai censé être qui ? je lui avais demandé. — Un collaborateur. — Un collaborateur ? Je ne suis pas avocat. Un journaliste, a dit Odile. — Comme ton mari ? — Pourquoi pas ? — Dans quel journal ? — Un truc sérieux. *Les Échos.* Personne ne lit ça là-bas. En arrivant à Wandermines, Odile a voulu que je gare la voiture dans une ruelle derrière la place de l'église. J'ai dit, il pleut. — Je ne veux pas arriver en BMW. — Au contraire, tu arrives dans la même bagnole que l'avocat du patron, c'est parfait. Elle hésitait. Elle s'était faite mignonne, talons plus hauts que d'habitude, coiffure dadame. J'ai dit, tu es chic, tu es la Parisienne, tu crois qu'ils ont envie d'une gaucho qui vient les représenter en sabots ? Elle a dit, d'accord. Je crois qu'elle a surtout dit d'accord à cause de la pluie. J'ai garé sur la place. J'ai fait le tour de la voiture avec le parapluie. Elle est sortie. Petite, engoncée dans son manteau et son foulard noué autour du cou, un sac à main raide et un cartable de dossiers. J'ai commencé à éprouver un sentiment, je veux dire un vrai, à ce moment-là. En sortant de la voiture, à Wandermines, sous la pluie. On ne parle pas assez de l'influence des lieux sur l'affect. Certaines nostalgies remontent à la surface sans prévenir. Les êtres changent de nature, comme dans les contes. Devant l'église à moitié disparue dans le brouillard, les bâtiments de brique rouge, la baraque à frites, j'ai vu la grande avocate des victimes de l'amiante, une petite fille incertaine qui riait — j'adore son rire — en reconnaissant ceux qui l'accueillaient. Au milieu de cette confrérie en habits du dimanche, se pressant vers la mairie pour échapper aux gouttes, tenant le bras d'Odile pour l'aider sur le parvis glissant, j'ai éprouvé la catastrophe du sentiment. Il n'avait jamais été question de ce genre de bêtise. Je connais son mari, elle connaît les femmes qui passent dans ma vie. Il n'y a jamais eu d'autre enjeu entre nous qu'une distraction sexuelle. J'ai pensé, tu as un moment de fading mon garçon, ça va te passer. Dans la salle municipale, Odile a parlé devant trois cents personnes, les ouvriers et leur famille. À la fin de son intervention, tout le monde l'a applaudie. La présidente de l'Association des victimes lui a dit, tu as rempli trois cars pour la manif de jeudi. Odile m'a glissé à l'oreille, j'étais faite pour faire de la politique. Elle avait le visage écarlate, j'ai failli lui dire que la politique nécessite plus de sang-froid, mais je n'ai rien dit. On a quitté la salle de l'assemblée générale pour une autre salle où il y avait le banquet républicain. À trois heures de l'après-midi, on en était encore à l'apéro au mousseux. Une femme boulotte d'une soixantaine d'années en jupe plissée régentait le service. Il y avait une sono dernier cri dans les années quatre-vingt. Je me suis fait copain avec un ancien démouleur, un type qui avait un cancer de la plèvre. Il m'a raconté sa vie, les plaques ondulées tronçonnées, les tuyaux meulés, poncés au papier de verre sans protection. La chambre d'amiante, la poussière. Il m'a dit, on recevait l'amiante dans des bidons, on jouait avec comme de la neige. Je voyais Odile danser le madison avec des veuves (c'est elle qui a dit *madison*, je n'y connais rien en danse), et un genre de tango avec des hommes harnachés à des bouteilles d'oxygène. Une femme a lancé, tu es coiffée comme un râteau Odile, tu devrais te faire une indéfrisable ! J'ai pensé, c'est ça la vraie vie, des tables à tréteaux, la fraternité, la poussière, Odile Toscano qui danse dans une salle des fêtes. J'ai pensé, c'est ce que tu aurais dû faire Rémi dans la vie, maire de Wandermines, dans le Nord-Pas-de-Calais, son église, son usine, son cimetière. On a apporté un coq au vin dans des grandes marmites. Mon copain m'a dit que le cimetière contenait plus de morts récents que d'habitants dans la commune. Il a dit, on se bat. J'ai pensé à la force du mot. Il a dit, quand mon frère est mort, j'ai fait chanter *Le Temps des cerises*. J'avais la tête au bord de l'explosion. À la fin de la journée, c'est moi qui ai pris le volant pour filer à Douai mais j'étais aussi bourré qu'Odile. Dans la chambre, Odile s'est écroulée sur le lit. Elle a dit, je suis une loque Rémi, je ne peux quand même pas appeler les enfants dans mon état, tu as de l'aspirine ? — J'ai mieux. J'ai pris un flacon de cognac dans le minibar. J'étais une loque aussi et le dérèglement persistait. Sa façon d'être allongée, de rabattre un oreiller sous sa tête, de s'envoyer la lampée de cognac. Son rire, son visage exténué. J'ai pensé, elle est à moi. Mon petit maître Toscano. Je me suis couché sur elle, je l'ai embrassée, déshabillée, on a fait l'amour avec la gueule de bois et c'était juste la bonne dose de douleur. Vers dix heures du soir, on avait faim. L'hôtel nous a indiqué un restaurant encore ouvert. On a erré dans Douai avant de le trouver. On a longé une rivière qui se nomme la Scarpe m'a dit Odile, je ne sais pas pourquoi j'ai retenu ce nom, elle m'a dit d'autres choses sur les bâtiments, elle m'a montré le palais de justice. Il y avait du vent et une sorte de bruine humide, mais j'aimais l'humeur opaque, le silence, les lampadaires rigolos, j'étais prêt à rester vivre là. Odile marchait bravement avec son nez gonflé par le froid. J'avais envie de l'enlacer, de la tenir collée à moi mais je me suis bien tenu. Il n'avait jamais été question de ce genre de bêtise entre nous. Au restaurant, on a commandé une soupe de légumes et du jambon à l'os. Odile a voulu du thé et moi de la bière. Elle m'a dit, tu ne devrais plus boire d'alcool. J'ai dit, c'est gentil de prendre soin de moi. Elle a souri. J'ai dit, j'ai été impressionné par ces gens. Je mène une vie de con. Je ne vois que des cons sans consistance. Elle a dit, tout le monde n'a pas la chance de naître dans un bassin minier. — Toi aussi tu m'impressionnes. Ah, enfin! a dit Odile et elle a fait un geste pour que je développe le concept. — Tu es impliquée, solidaire, forte. Tu es belle. — Rémi? Ouhou? Ça va? — Non, je t'assure, tu te bats avec eux, pour eux. — C'est mon métier. — Tu pourrais le faire autrement. Être plus distante. Les ouvriers t'aiment. Odile a ri (j'ai déjà mentionné que j'adorais son rire). — Les ouvriers m'aiment! Le peuple m'aime, tu vois, je devrais faire de la politique. Et toi, cette nuit, tu vas bien dormir mon pauvre chéri. — Tu as tort de rire. Je parle sérieusement. Comment tu as dansé, débarrassé les assiettes, les mots de réconfort que tu as prononcés, tu as enchanté cette journée. — Tu ne m'as pas trouvée trop boudinée dans ce pantalon? — Non. — Tu trouves que je suis coiffée comme un râteau? — Oui. Mais j'aime mieux que le petit casque de ce matin. Tout à coup j'ai pensé, demain nous serons à Paris. Demain soir, Odile sera chez elle, dans la cellule douillette, avec enfants et mari. Moi, le diable sait où. D'habitude, ça n'a aucune importance mais les choses ayant pris une tournure anormale, j'ai pensé, assure tes arrières mon vieux. J'ai sorti de ma poche mon portable, j'ai dit à Odile, excuse-moi, et j'ai cherché Loula Moreno. Elle est belle, elle est drôle, elle est désespérée. Exactement ce qu'il me faut. J'ai écrit « Libre demain soir? ». Odile soufflait sur sa soupe. Je me suis senti envahi par une sorte de panique. Une angoisse d'abandon. Quand j'étais enfant, mes parents me laissaient à d'autres. Je restais immobile, dans l'ombre et de plus en plus petit. Le portable s'est allumé et j'ai lu « Libre demain soir mon ange, mais il faut que tu viennes à Klosterneuburg ». Je me suis rappelé que Loula tournait un film en Autriche. Qui d'autre ? Ça va ? m'a demandé Odile. Très bien, j'ai dit. — Tu as l'air contrarié. — Un client qui remet un rendez-vous, rien d'important. Et puis j'ai pris un air indifférent et j'ai lancé, tu fais quoi demain soir ? Odile a répondu, on fête les soixante-dix ans de ma mère. — Chez vous ? — Non, chez mes parents, à Boulogne. Ça lui fait du bien de recevoir. De faire des courses, de cuisiner pour tout le monde. J'ai peur que mes parents s'enfoncent dans la mélancolie. — Ils ne font rien ? — Mon père est inspecteur des finances, il a fait du cabinet avec Raymond Barre à Matignon, ensuite il a dirigé la banque Wurmster. Ernest Blot, ça te dit quelque chose ? — Vaguement. — Il a dû s'interrompre à cause d'un problème cardiaque. Maintenant il préside le conseil d'administration mais c'est honorifique. Il fait un peu d'associatif, il tourne en rond. Ma mère, rien. Elle se sent seule. Mon père est odieux. Ils auraient dû se séparer depuis longtemps. Odile a fini son thé, elle a saisi la rondelle de citron au fond de la tasse et en a détaché le pourtour de peau. Un des effets du dérèglement sentimental est que plus rien ne glisse. Tout devient signe, tout est matière à décryptage. J'ai eu la folie d'imaginer que ses derniers mots contenaient un message et j'ai dit, vous avez déjà pensé à vous séparer, ton mari et toi ? Aussitôt j'ai couvert son visage avec mes mains et j'ai dit, je m'en fous, oublie cette phrase, je m'en fous complètement. Quand j'ai retiré mes mains, Odile a dit, il doit y penser tous les jours, je suis épouvantable. J'ai dit, j'en suis sûr. Robert aussi est épouvantable, mais il sait me récupérer, elle a dit en avalant le citron. Je n'ai pas aimé qu'elle choisisse le même mot qui ne veut rien dire pour les deux, je n'ai pas aimé qu'elle dise Robert, l'irruption du nom Robert dans la conversation. Ça m'a agacé qu'elle puisse laisser entrevoir leur vie, dont je me fous, avec cette futilité. C'est une bêtise de penser que le sentiment rapproche, au contraire, il consacre la distance entre les êtres. Pendant la journée, en pleine effervescence, sous la pluie, sur l'estrade avec son micro, dans la voiture, dans la chambre aux rideaux tirés, Odile avait semblé à portée de visage, à portée de caresses. Mais dans ce restaurant morne, quasi vide, où je me suis mis, sans le vouloir, à épier le moindre de ses gestes, la tonalité de chaque mot, avec une attention fébrile, elle s'est dérobée, elle s'est évanouie dans le monde où je n'ai aucune part. J'ai dit, je me flinguerais au bout de deux jours si je devais vivre ici. Odile a ri (d'un rire qui m'est apparu acide et conventionnel). — Tu as prétendu le contraire il y a dix minutes. Tu étais enthousiasmé par Douai. — J'ai changé d'avis. Je me flinguerais. Elle a haussé les épaules. Elle a trempé un bout de pain dans les restes de la soupe molle. J'ai eu l'impression qu'elle était au bord de l'ennui. Je me suis senti moi-même au bord de l'ennui, envahi par la morosité des amants, quand plus rien ne se passe en dehors du lit. Je ne trouvais rien à dire. J'ai entendu la pluie qui revenait et frappait la fenêtre. Odile a pris une tête consternée et a dit, on n'a pas pris le parapluie ! J'ai pensé au démouleur qui riait avec ses dents complètement tachées, à l'organisatrice en jupe plissée grossissante, et dieu sait pourquoi, à mon père, carrossier, porte de Pantin, qui gueulait contre la métallerie parce que la verrière du toit laissait passer l'eau. J'ai eu la tentation de le raconter à Odile mais ça a duré une demi-seconde. J'ai déroulé la liste de mes contacts sur le portable et je suis tombé sur Yorgos Katos. J'ai pensé, voilà, va donc perdre ta chemise au poker mon garçon. J'ai écrit « Besoin d'un cave à une table demain soir ? Billets de mille à claquer ». Tu écris à qui ? a dit Odile. — À Yorgos Katos. Je ne t'ai jamais parlé de Yorgos ? — Jamais. — Un copain qui gagne sa vie au jeu. Un jour, il y a des années, il jouait avec Omar Sharif dans un tournoi de bridge. Il sentait une nuée de filles agglutinées derrière son dos. Il s'est dit, elles savent que je joue beaucoup mieux que lui. Il n'a pas pensé une seconde qu'elles voulaient voir Omar Sharif de face. Odile a dit qu'elle était amoureuse du prince des déserts de *Lawrence d'Arabie*. Pour elle, Omar Sharif était en turban, sur un coursier noir, et non tassé à une table de bridge. J'ai trouvé qu'elle avait absolument raison. J'étais léger de nouveau. Tout rentrait dans l'ordre.

Chantal Audouin

Un homme est un homme. Il n'y a pas d'homme marié, pas d'homme interdit. Ça n'existe pas tout ça (c'est ce que j'ai expliqué au docteur Lorrain quand on m'a internée). Quand on rencontre quelqu'un, on ne s'intéresse pas à son état civil. Ni à sa condition sentimentale. Les sentiments sont changeants et mortels. Comme toutes les choses sur terre. Les bêtes meurent. Les plantes. D'une année à l'autre, les cours d'eau ne sont pas les mêmes. Rien ne dure. Les gens veulent croire le contraire. Ils passent leur vie à recoller des morceaux et ils appellent ça mariage, fidélité ou je ne sais quoi. Moi je ne m'embarrasse plus avec ces bêtises. Je tente ma chance avec qui me plaît. Je n'ai pas peur de me casser les dents. De toute façon je n'ai rien à perdre. Je ne serai pas belle toujours. Le miroir est de moins en moins amical déjà. Un jour, la femme de Jacques Ecoupaud, le ministre, mon amant, m'a appelée pour qu'on se rencontre. J'étais abasourdie. Elle avait dû fouiner dans ses affaires et elle était tombée sur des échanges d'e-mails entre Jacques et moi. À la fin de la conversation, avant de raccrocher, elle a dit : « J'espère que vous ne lui direz rien. Je souhaiterais que ça reste vraiment entre nous. » J'ai aussitôt appelé Jacques et j'ai dit, je vois ta femme mercredi. Jacques semblait déjà au courant. Il a soupiré. Le soupir du lâche qui signifie, puisqu'il faut en passer par là. Les couples me dégoûtent. Leur hypocrisie. Leur suffisance. Jusqu'à ce jour, je n'ai rien pu faire contre l'attraction exercée sur moi par Jacques Ecoupaud. Un séducteur de ces dames. Mon pendant en homme. Sauf que lui est secrétaire d'État (il a toujours dit *ministre*). Avec tout l'attirail. Voiture à vitres teintées, chauffeur et garde du corps. Toujours une table au restaurant. Moi je suis partie de moins de zéro. Je n'ai même pas le baccalauréat. J'ai gravi la pente sans l'aide de personne. Aujourd'hui, je suis décoratrice d'événements. Je me suis fait mon petit nom, je travaille avec le cinéma, la politique. J'avais habillé un salon à Bercy pour un Séminaire national de la performance française des auto-entrepreneurs (je me rappelle encore le titre ; on avait piqué des drapeaux dans les bouquets). C'est là que j'ai rencontré Jacques. Le secrétaire d'État chargé du Tourisme et de l'Artisanat. Une appellation minable si on regarde de près. Le genre d'homme sans cou, râblé, qui entre quelque part et balaie la pièce pour contrôler s'il a bien happé tous les regards. La salle était bourrée d'entrepreneurs de province, venus comme des seigneurs à Paris avec leurs femmes sur leur trente et un. Pendant l'événement, il y a eu un vice-président d'une chambre des métiers qui a fait un discours. Jacques Ecoupaud est venu vers moi, je me tenais dans le fond, près d'une fenêtre, et il m'a dit, vous voyez le type qui vient de parler ? J'ai dit, oui. — Vous avez vu son nœud papillon ? — Oui. — Il est un peu gros n'est-ce pas ? Oui c'est vrai, j'ai dit. Il est en bois, a dit Jacques Ecoupaud. — En bois ? Le gars est artisan, il fait des charpentes. Il a fabriqué un nœud pap en bois, et il le fait briller avec du Pliz, a dit Jacques. J'ai ri et Jacques a ri de son rire moitié séducteur, moitié campagne électorale. Et celui-là avec la mallette en velours de James Bond ? Vous savez comment il s'appelle ? Frank Ravioli. Et il vend des croquettes pour chiens. Le lendemain, Jacques garait sa Citroën C5 en bas de chez moi et on passait la première partie de la nuit ensemble. En général, avec les hommes, c'est moi qui mène la danse. J'allume, j'entortille et je me barre au petit matin. Parfois je me laisse prendre au jeu. Je m'attache un peu. Ça dure ce que ça dure. Aussi longtemps que je ne m'ennuie pas. Jacques Ecoupaud m'a coupé l'herbe sous le pied. Encore aujourd'hui je ne comprends pas ce qui m'a rendue à ce point dépendante de cet homme. Un type sans cou qui m'arrive à l'épaule. Un baratineur lambda. Il s'était tout de suite présenté comme un grand libertin. Dans le genre, je vais t'encanailler petite fille. Il m'a toujours appelée petite fille. J'ai cinquante-six ans, un mètre soixante-seize, une poitrine à la Anita Ekberg, ça m'a remuée d'être appelée petite fille. C'est bête. Un grand libertin, tu parles. Je ne sais toujours pas ce que ça veut dire. Moi j'étais prête à des expériences. Un soir, il est venu à la maison avec une femme. Une brune d'une quarantaine d'années qui travaillait dans le logement social. Elle s'appelait Corinne. J'ai servi un apéritif. Jacques a ôté sa veste et sa cravate, et s'est avachi sur le sofa. La femme et moi sommes restées sur les fauteuils à parler du temps et du quartier. Jacques a dit, mettez-vous à l'aise mes chéries. On s'est un peu déshabillées mais pas complètement. Corinne avait l'air d'une habituée de ce genre de situation. La fille sans émotion qui fait ce qu'on lui dit. Elle a enlevé son soutien-gorge qu'elle a accroché à un chrysanthème en pot. Jacques a rigolé. On portait toutes les deux le même type de lingerie censée réveiller un mort. À un moment donné, Jacques a écarté ses bras de façon symétrique et il a dit, venez! On est venues se mettre chacune d'un côté et il a refermé ses bras. On est restées comme ça un moment, à ricaner, à tripoter son gros ventre poilu, à titiller sa braguette, et tout à coup il a dit, eh ben, rapprochez-vous les filles! J'ai encore honte de cette phrase. Honte de notre position, de la lumière crue, de l'absence complète d'imagination et de domination de Jacques. J'attendais le marquis de Sade et j'avais un type vautré qui disait *Eh ben, rapprochez-vous les filles*. Mais à l'époque, je passais l'éponge sur tout. Si les hommes voulaient nous reconnaître une seule qualité, ce serait celle-là. On les réhabilite. On les rehausse dès qu'on peut. On ne veut pas savoir que le chauffeur est un ancien douanier, que le garde du corps est un bouseux de la sécurité départementale du Cantal. Que la Citroën

C5 est la plus nulle des voitures de fonction. Que le grand libertin est venu vous encanailler sans même apporter une bouteille de champagne. Thérèse Ecoupaud — c'est le nom de la femme de Jacques — m'a donné rendez-vous dans un café à la Trinité. Elle m'a dit, j'aurai une veste beige et je lirai *Le Monde*. Un programme hilarant. J'ai planifié une manucure et ma teinture de cheveux la veille. La coloriste m'a fait un blond plus doré que d'habitude. J'ai passé une heure à choisir ma tenue. Une jupe rouge, avec un pull vert à col rond. Chaussures à talons Gigi Dool. Et pour parfaire mon arrivée, un petit trench couleur mastic à l'anglaise. Elle était là. Je l'ai vue tout de suite. Depuis la rue, derrière la vitre. Mon âge, paraissant dix de plus. Maquillée à la va-vite. Cheveux courts mal coupés et racines visibles. Écharpe bleue sur veste beige flottante. J'ai pensé sur-le-champ, c'est fini. Jacques Ecoupaud, c'est fini. J'ai même failli ne pas entrer dans le café. La vision de cette femme légitime et négligée a été bien plus meurtrière que toutes les déceptions, attentes, promesses non tenues, assiettes et bougies disposées pour personne. Elle était assise presque en terrasse, sans le moindre retrait, les lunettes sur le bout du nez, absorbée dans la lecture de son journal. Un professeur de latin qui attend son élève. Thérèse Ecoupaud n'avait pas fait le moindre effort pour se présenter devant la maîtresse de son mari. Quel homme peut vivre avec une femme de cette nature ? Les couples me dégoûtent. Leur ratatinement, leur connivence poussiéreuse. Je n'aime rien dans cette structure ambulante qui traverse le temps à la barbe des isolés. Je méprise les deux parties et je n'aspire qu'à les détruire. J'y suis quand même allée. J'ai tendu la main. J'ai dit, Chantal Audouin. Elle a dit, Thérèse Ecoupaud. J'ai commandé un Bellini pour l'emmerder. J'ai dénoué mon pardessus, sans l'enlever, telle une femme qui n'a que peu de temps à consacrer à l'événement. Elle m'a fait savoir immédiatement qu'elle n'éprouvait qu'indifférence. À peine un regard. Un tournoiement appliqué de la cuillère à café tenue entre le pouce et l'index. Elle a dit, madame, mon mari vous écrit des e-mails. Vous lui répondez. Il vous fait des déclarations. Vous vous enflammez. Quand vous vous chagrinez, il s'excuse. Il vous console. Vous lui pardonnez. Et cætera. Le problème de cette correspondance, madame, est que vous la croyez unique. Vous vous êtes composé un tableau où il y avait d'un côté vous, le havre du guerrier, et de l'autre l'épouse fastidieuse et le sacerdoce national. Vous n'avez jamais envisagé que d'autres liaisons puissent avoir cours dans le même temps. Vous pensiez être la seule à qui mon mari confie ses états d'âme, envoie, par exemple, à deux heures du matin, parlant de lui-même en tant que Jacquot (mais je passe sur la niaiserie), «Pauvre Jacquot, seul dans sa chambre à Montauban, en manque de ta peau, de tes lèvres et de… » vous connaissez la suite. Elle est la même pour ses trois destinataires. Vous étiez trois cette nuit-là à avoir reçu ce message. Plus empressée que les autres, vous avez répondu avec chaleur et, comment dirais-je, innocence. J'ai voulu vous rencontrer parce qu'il m'a semblé que vous étiez particulièrement éprise de mon mari, a dit Thérèse Ecoupaud. J'ai estimé que vous seriez heureuse d'être informée afin de ne pas tomber de trop haut, a dit cette femme atroce. J'ai dit au docteur Lorrain, ça ne vous semble pas normal, docteur, qu'on cherche à se tuer après ce genre de séance ? Le mieux aurait été de tuer l'homme bien sûr. J'applaudis ces femmes qui abattent leur amant, mais tout le monde n'a pas ce tempérament. Le docteur Lorrain m'a demandé comment je percevais Jacques Ecoupaud maintenant que j'allais mieux. J'ai dit, un pauvre petit monsieur. Il a levé les bras dans sa blouse blanche et il a répété comme si je venais de trouver la clé des champs, un pauvre petit monsieur ! — Oui docteur, un pauvre petit monsieur. Mais les pauvres petits monsieurs peuvent berner des idiotes vous voyez bien. Et à quoi ça me sert de le voir maintenant en pauvre petit monsieur ? Ce pauvre petit monsieur me dégrade et ne me fait aucun bien. Qui vous apprend que le cœur s'allège devant la réalité ? Igor Lorrain a hoché la tête en homme qui fait mine de tout comprendre, et a écrit je ne sais quelle appréciation sur mon dossier. En sortant de son cabinet, dans l'escalier de la maison de santé, j'ai croisé le patient que je préfère. Un long jeune homme brun qui a de beaux yeux clairs, toujours souriant. Un Québécois. Il m'a dit, bonjour Chantal. J'ai dit, bonjour Céline. Je lui ai dit que je m'appelais Chantal et lui m'a dit qu'il s'appelait Céline. Je crois qu'il se prend pour la chanteuse Céline Dion. Mais peut-être qu'il plaisante. Il a toujours une écharpe autour du cou. On le voit errer dans les couloirs, dans les allées du jardin quand il fait beau. Il remue les lèvres et prononce des mots qu'on n'arrive pas à saisir. Il ne regarde pas les gens à hauteur d'homme. On dirait qu'il s'adresse à une flotte lointaine, qu'il prie du haut d'un rocher pour attirer ceux qui viennent de loin, comme dans la mythologie.

Jean Ehrenfried

Darius s'est assis dans l'immense fauteuil orthopé-
dique, dans lequel personne ne peut être confortable
de mon point de vue. Il s'est assis, bien calé contre le
dossier comme un homme vaincu. Quelqu'un surve-
nant dans la chambre n'aurait su dire qui, de lui dans
cette station, ou de moi, gisant avec pansements et
perfusion, était le plus pitoyable. J'ai attendu qu'il
parle. Au bout d'un moment, il a dit, le cou propulsé
en avant par le boudin appuie-tête : Anita m'a quitté.
Bien qu'allongé, je me trouvais quand même plus
haut que lui dans mon lit médicalisé. Que Darius
puisse prononcer ces mots avec cette mine décompo-
sée m'a paru à la limite du comique. D'autant qu'il a
ajouté, d'une voix à peine audible, elle est partie avec
le paysagiste. — Le paysagiste ? — Oui. Le type qui
dessine le jardin de merde de Gassin depuis trois ans.
Et qui me ruine avec des plantes subsahariennes qui
m'effraient. J'ai connu Darius, bien avant qu'il n'en
soit exclu, au Troisième Cercle, un de ces clubs
fermés où fricotent les oligarques de droite comme

114

de gauche, pétris de bien-pensance sociale et d'allégeance dévote à la puissance de l'argent. À l'époque, il dirigeait plusieurs sociétés, dont une de conseil en ingénierie et une autre de cartes à puce, si ma mémoire est bonne. Moi je venais de quitter la division internationale de Safranz-Ulm Electric pour être nommé président du directoire. Je me suis pris d'affection pour ce garçon de presque vingt-cinq ans de moins que moi et qui avait le charme de l'Oriental. Il avait épousé Anita, la fille d'un lord anglais avec qui il a eu deux enfants plus ou moins ratés. Darius Ardashir était malin comme tout. Il se faufilait dans ce système de courte échelle, de retour d'ascenseur, de pions dans les conseils d'administration, avec une nonchalance désarmante. Jamais pressé, jamais vexé. Comme avec les femmes. Il a fini par faire fortune comme intermédiaire dans des contrats internationaux. Il s'est trouvé mêlé à des affaires de corruption, dont une plus épineuse concernant la vente d'un système de surveillance des frontières au Nigeria, ce qui, par parenthèse, lui a valu son éviction du Troisième Cercle (de mon point de vue, un club qui renvoie ses voyous est un club foutu). Certaines de ses fréquentations ont fait un petit tour en prison mais lui s'en est sorti sans réel dommage. Je l'ai toujours connu rebondissant et fidèle en amitié. Quand j'ai été attaqué par cette saloperie de cancer, Darius s'est comporté comme un fils. Avant d'entamer notre conversation de fond, j'ai appuyé sur toutes sortes de boutons pour parvenir au redressement de la partie buste de mon lit. Darius a contemplé mes efforts, et la succession de positionnements aberrants, l'œil éteint, sans bouger. Une infirmière est arrivée, que j'avais sans doute sonnée. — Mais qu'est-ce que vous voulez faire monsieur Ehrenfried ? — M'asseoir ! — Le docteur Chemla va passer. Il sait que vous n'avez plus de fièvre. — Dites-lui que j'en ai marre et qu'il me laisse sortir demain. Elle a arrangé mon lit et m'a bordé comme un enfant. J'ai demandé à Darius s'il voulait boire quelque chose. Il a décliné et la fille est sortie. J'ai dit, bon. Ce paysagiste, ce n'est pas un coup de folie momentané ? — Elle veut divorcer. J'ai laissé passer un temps et j'ai dit, tu n'as jamais fait grand cas d'Anita. Il m'a regardé avec stupeur, comme si je proférais une insanité. — Elle a eu la meilleure vie de la terre. J'entends bien, j'ai dit. — Je lui ai tout donné. Cite-moi une chose qu'elle n'a pas eue. Maisons, bijoux, domestiques. Voyages faramineux. Elle n'aura rien, Jean. Tous mes biens sont en société. La villa de Gassin, la rue de la Tour, les meubles, les œuvres d'art, rien n'est à mon nom. Ils peuvent crever. — Tu l'as trompée jour et nuit. — Quel rapport ? — Tu ne peux pas lui en vouloir de prendre un amant. — Les femmes ne prennent pas un amant. Elles s'entichent, elles se font un cinéma. Elles deviennent complètement folles. Un homme a besoin d'un lieu de sécurité pour affronter le monde. Tu ne peux pas te déployer si tu n'as pas un point fixe, un camp de base. Anita c'est la maison. C'est la famille. Ce n'est pas parce que tu as envie de t'oxygéner que tu n'as pas envie de rentrer chez toi. Je ne m'attache pas aux femmes. La seule qui compte c'est la suivante. Cette conne couche avec le jardinier et veut partir avec. À quoi ça rime ? Pendant que j'écoutais Darius, je voyais s'égrener les gouttes de la perfusion. Elles me semblaient curieusement irrégulières, j'étais à deux doigts de rappeler l'infirmière. J'ai dit, tu aurais accepté qu'elle vive comme toi ? — C'est-à-dire ? — Qu'elle ait des aventures sans importance ? Il a secoué la tête. Il a sorti un mouchoir blanc de sa poche qu'il a déplié soigneusement avant de se moucher. J'ai pensé que ce geste n'appartenait qu'à ce type d'homme particulier. Il a dit, non. Parce que ce n'est pas son genre. Puis il a dit d'une voix lugubre, j'étais à Londres ces deux derniers jours — un voyage important qu'elle m'a entièrement gâché —, au retour, le TGV s'est arrêté quelques minutes en haut de la France, dans une zone périphérique. Juste devant ma fenêtre, il y avait un petit pavillon, briques rouges, tuiles rouges, barrière en bois bien entretenue. Géraniums aux fenêtres. Et, accrochées aux murs, dans des pots suspendus, encore des fleurs. Tu sais ce que j'ai pensé Jean ? J'ai pensé, dans cette maison, quelqu'un a décidé qu'il fallait être heureux. J'ai cru qu'il allait continuer mais il s'est tu. Il a regardé le sol, le visage sombre. Je me suis dit, il est au bout du rouleau. Qu'un Darius Ardashir aille chercher la briquette et le macramé comme indices du bonheur est la signature de l'effondrement. Et tout simplement, ai-je pensé, de façon plus inquiétante le concernant, qu'il puisse se rapporter au bonheur en tant que finalité. Quant à moi, il me fallait convoquer le corps médical d'urgence car la tubulure charriait vers mon bras des bulles d'air. Tu sais quel âge a Anita ? a dit Darius. — C'est normal ces bulles ? — Quelles bulles ? Ce sont des gouttes. C'est le produit. — Tu crois ? Regarde mieux. Il a sorti ses lunettes et s'est levé pour observer la perfusion. — Des gouttes. — Tu es sûr ? Tapote la pochette. — Pour quoi faire ? — Tapote. Tapote. Ça aide. Darius a tapoté la pochette de sérum et il est retourné s'asseoir. J'ai dit, je ne vois plus rien. J'en ai marre de cette tuyauterie. — Tu sais quel âge a Anita ? — Dis. — Quarante-neuf ans. Tu trouves que c'est un âge pour développer des ambitions d'épanouissement, passion amoureuse et autres imbécillités ? Tu sais, souvent je pense à Dina, Jean. Tu as eu une femme qui comprenait la vie. Dina est au ciel. Vous n'avez pas de paradis vous les juifs, vous avez quoi ? — On n'a rien. — Bon enfin, elle est sûrement très bien. Elle t'a laissé tes fils, ils sont gentils, ils s'occupent de toi, ta fille aussi, ton gendre, tes petits-enfants. Elle a su créer un environnement. Quand on est vieux, avoir une main à attraper c'est important. Moi je finirai comme un rat. Anita te dira que je l'ai mérité. Une phrase idiote de plus. Qu'est-ce que le mérite a à voir là-dedans ? J'ai fait un appartement somptueux, des propriétés somptueuses, qu'est-ce qu'ils croient tous, que ça tombe du ciel ? Pourquoi je me tue, je pars à huit heures, je me couche à minuit, elle ne comprend pas que c'est pour elle ? Et les garçons, deux zéros qui vont tout dilapider, ils ne comprennent pas que c'est pour eux ? Non. Critiques,

critiques, critiques. Et romance avec un crétin qui plante des frangipaniers. J'aurais préféré qu'elle parte avec une femme. J'ai demandé, tu es bien dans ce fauteuil ? — Très bien. La veille, Ernest l'avait expérimenté moins d'une minute avant d'opter pour la chaise pliante. En écoutant Darius, je me suis souvenu d'une après-midi passée à la maison avec Dina à faire des rangements. On avait retrouvé du linge à l'ancienne brodé main qui venait de sa mère, et un beau service de table d'Italie. On s'était dit à quoi ça sert tout ça maintenant ? Dina avait déployé une nappe sur un canapé. Bien repassée, un peu jaunie. Elle avait aligné les tasses de porcelaine incrustée. Des objets qui un jour ont de la valeur avec le temps deviennent des fardeaux inutiles. Je ne savais pas quoi dire à Darius. Le couple, c'est la chose la plus impénétrable. On ne peut pas comprendre un couple, même quand on en fait partie. Le docteur Chemla est entré dans la chambre. Souriant, sympathique comme d'habitude. J'étais heureux qu'il arrive car je commençais une gangrène du bras. J'ai présenté, Darius Ardashir, un ami cher, docteur Philip Chemla, mon sauveur. Et j'ai tout de suite ajouté, docteur vous ne trouvez pas que mon bras est enflé ? À mon avis, la perfusion passe à côté de la veine. Chemla a effectué des pressions sur mes doigts et sur mon avant-bras. Il a regardé mon poignet, tourné la molette du débit et a dit, on termine la poche et c'est fini. Demain vous serez chez vous. Je repasse vous voir dans la soirée, on marchera un peu dans le couloir. Quand il est sorti, Darius a dit, tu avais quoi exactement ? — Une infection urinaire. — Il a quel âge ton toubib ? — Trente-six ans. — Trop jeune. — Un génie. — Trop jeune. J'ai dit, tu vas faire quoi ? Il s'est penché en avant, il a ouvert ses bras comme un type qui soulève le néant, et les a laissé retomber. J'ai vu son regard errer sur ma table de nuit, il a dit, qu'est-ce que tu lis ? — *La Destruction des Juifs d'Europe*, de Raul Hilberg. — Tout ce que tu as trouvé pour l'hôpital. — C'est parfait pour l'hôpital. Quand ça ne va pas, tu dois lire des livres tristes. Darius a pris le livre qui est volumineux. Il l'a feuilleté d'un œil éteint. — Tu me le conseilles donc. — Vivement. Il a quand même souri. Il a reposé le livre et il a dit, elle aurait dû m'avertir. Je n'admets pas qu'elle m'ait trahi en secret. Malgré la vérification de Chemla, j'avais quand même l'impression que mon bras était en train de gonfler. J'ai dit, regarde mes deux bras, tu trouves qu'ils ont le même volume ? Darius s'est soulevé, il a remis ses lunettes, regardé mes bras et a dit, exactement le même. Puis il s'est rassis. On est restés un petit moment dans le silence, à écouter les bruits du couloir, les chariots, les voix. Puis Darius a dit, les femmes ont raflé le rôle de martyrs. Elles l'ont théorisé à voix haute. Elles geignent et se font plaindre. Alors qu'en réalité le vrai martyr c'est l'homme. Quand j'ai entendu ça, j'ai repensé à la phrase de mon ami Serge, au moment où il débutait son Alzheimer. Il voulait se rendre, pour je ne sais quelle raison, rue de l'Homme-marié. Personne ne savait où était cette rue de l'Homme-marié. On a fini par comprendre qu'il parlait de la rue des

120

Martyrs. J'ai raconté l'anecdote à Darius qui le connaissait de loin. Il m'a demandé, il va comment lui ? J'ai dit, ça va. Il ne faut surtout pas le contredire, je lui donne toujours raison. Darius a hoché la tête. Il a fixé un point du plancher vers la porte et a dit, c'est merveilleux cette maladie.

Damien Barnèche

Mon père me disait, si on te demande ce que fait ton père, tu dis conseiller technique. En réalité, il recevait une fiche de paye de conseiller technique en échange d'un partenariat au bridge avec un type qui gérait des concessions de marché. Mon grand-père s'est ruiné aux courses et mon père s'est fait interdire lui-même dans les casinos pendant plusieurs années. Loula m'écoute comme si je racontais des histoires incroyables. Elle est vraiment mignonne. Elle s'assoit tous les matins dans ma voiture, enfin je veux dire dans la voiture que la production du film met à disposition pour aller la chercher et la raccompagner. Elle s'assoit devant, à côté de moi, un peu endormie. J'ai ordre de ne pas lui parler si elle ne m'adresse pas la parole, je suis censé respecter sa fatigue et sa concentration. Mais Loula Moreno me pose des questions, s'intéresse à moi, elle ne parle pas uniquement d'elle comme le font les actrices en général. Je lui dis que le cinéma me plaît, que je travaille à la régie mais que j'aimerais mieux être à la réalisation.

En vérité je ne sais pas trop ce que je veux faire. Je suis le premier Barnèche qui n'est pas joueur. Elle me dit *tu* et je réponds *vous*, bien que j'aie vingt-deux ans et elle tout juste trente (elle me l'a dit). Au fur et à mesure des jours, je lui raconte ma vie. Loula Moreno est curieuse et fine. Elle a vite remarqué que je m'intéressais à Géraldine, l'assistante habilleuse, une petite brune avec des yeux clairs et des cheveux partout. La première impression avec cette fille a été mitigée parce qu'on a parlé musique et j'ai tout de suite su qu'elle aimait les Black Eyed Peas et la chanteuse Zaz. Normalement ça m'arrête tout de suite. Mais le fait d'être à Klosterneuburg, on a commencé le tournage en Autriche, m'a peut-être rendu plus tolérant (ou plus mou). Surtout qu'on s'est tout de suite découvert une passion commune pour les Pim's. On s'est souvenu que quand on était petits, ils faisaient un Pim's chocolat blanc-cerise. On est tombés d'accord sur le fait que Casino l'avait repris en moins bien. Géraldine m'a demandé si je pensais qu'un jour Pim's ferait un Pim's caramel. J'ai dit, oui à condition de faire un biscuit plus dur ou un caramel liquide très léger car ça ne peut pas être mou sur mou. Géraldine a dit, mais à ce moment-là ça ne sera plus un Pim's. J'étais tout à fait d'accord. Elle ne connaissait pas Pim's poire qui est très rare et que peu de gens connaissent. Je lui ai dit, c'est le summum de chez Pim's. La confiture est relativement épaisse, contrairement à la framboise ou à l'orange, mais tu ne le sens qu'au croquer. Ensuite elle se diffuse. L'orange se donne immédiatement, la poire prend son temps. Elle se fond dans le biscuit. Même l'emballage est parfait. Le packaging est d'un chic. Ils n'ont pas fait un vert minable, ils ont fait une couleur un peu taupe, tu vois. Elle était enthousiasmée. À la fin j'ai dit, ton premier Pim's poire, tu dois le manger en regardant le paquet. Elle a dit, oui, oui, bien sûr ! Je suis tombé amoureux d'elle parce que c'est très rare une fille qui comprend ce genre de choses. Loula approuve. Je n'arrive pas à savoir si j'ai une chance avec Géraldine. Quand une fille m'attire vraiment, je ne suis pas le type qui fonce tête baissée. Il me faut une garantie. À Klosterneuburg, j'avais l'impression que je lui plaisais. Depuis que nous sommes revenus, elle se vend au perchman. Une crevette géante qui te dit bonjour avec le salut scout (je ne suis pas certain que c'est au second degré, et s'il le fait au second degré, c'est encore plus grave). Une autre difficulté est survenue, qui n'existait pas en Autriche : elle met des ballerines. Même en robe. En fac, quand tu te penchais tu voyais une forêt de jambes en ballerines. Pour moi les ballerines sont synonymes d'ennui et d'absence de sexe. Loula m'a demandé de lui faire la liste des trucs qui m'énervaient chez une fille. J'ai dit qu'elle s'étendait à un chiffre juste en dessous de l'infini. — Vas-y. J'ai dit, si la fille a une coiffure con. Si elle analyse tout. Si elle est catho. Si elle est militante. Si elle n'a que des amies filles. Si elle aime Justin Timberlake. Si elle tient un blog. Loula a ri. J'ai dit, si elle ne sait pas rire comme vous. Un soir, il y a eu une petite fête pour le dernier jour de tournage d'un acteur. Loula m'a conseillé de ne pas laisser le perchman occuper le terrain. Je me suis retrouvé assis, épaules collées, avec Géraldine, dans l'escalier qui mène au sous-sol où sont entreposés les décors. J'avais piqué une bouteille de vin rouge, on buvait dans des verres en carton. Surtout moi. J'ai dit (avec la voix murmurante des acteurs américains dans les séries quand arrive la séquence pré-baise), si j'étais président, il y a un certain nombre de réformes que je ferais immédiatement. Une direction européenne contre les cintres qui prétendent retenir les pantalons et les font tomber dès que tu as le dos tourné. Une loi contre le papier de soie dans les chaussettes (qui s'appelle papier de soie mais qui est entre le papier de soie et le papier-calque), qui ne sert qu'à te faire perdre du temps et te dire je suis neuve. Une loi qui empêcherait d'être gêné par la notice quand tu ouvres une boîte de médicaments. Tu tâtonnes pour prendre ton somnifère et tu tombes sur du papier, du coup tu jettes la notice qui te fait chier. On devrait inculper les laboratoires pour meurtre étant donné le risque qu'ils te font courir. Géraldine a dit, tu prends des somnifères ? — Non, des antihistaminiques. — C'est quoi ? Je n'étais pas assez alcoolisé pour ne pas voir l'énormité du problème. Non seulement Géraldine ne s'affaissait pas graduellement sur mon corps charmée par mes bêtises, mais elle ne connaissait pas le mot *antihistaminique*. Sans parler de la tonalité de désapprobation à propos des somnifères, trahissant une personnalité rigide et tendance new age. J'ai dit, des médicaments contre l'allergie. — Tu as de l'allergie ? — De l'asthme. — De

125

l'asthme ? Qu'est-ce qu'elle avait à tout répéter comme ça ? J'ai dit, après une lampée au goulot et en prenant une voix lugubre, et du rhume des foins, et d'autres sortes d'allergies. Et puis je l'ai embrassée. Elle s'est laissé faire. Je l'ai renversée sur les marches, contre le mur en béton de l'entrepôt, et j'ai commencé à la tripoter n'importe comment. Elle gigotait en disant un truc que je ne comprenais pas et ça m'énervait, j'ai dit quoi, tout en m'excitant sur elle, quoi ? Tu dis quoi ? Elle a répété, pas ici, pas ici Damien ! Elle essayait de me repousser, à la manière des filles, moitié oui, moitié non, j'ai enfoui ma tête sous le tee-shirt, elle n'avait pas de soutien-gorge, j'ai happé un téton avec mes lèvres, j'entendais des geignements incompréhensibles, je caressais ses cuisses, ses fesses, j'étais venu à bout du slip, j'essayais de conduire sa main sur ma bite, et tout à coup, elle s'est vraiment cabrée, m'a rejeté avec ses bras, ses jambes, en donnant des coups de pied dans tous les sens et criant, arrête, arrête ! Je me suis retrouvé plaqué contre le mur opposé, découvrant une fille rouge et excédée. Elle a dit, tu es malade ! J'ai dit, qu'est-ce que j'ai fait ? — Tu plaisantes ? — Excuse-moi. Je croyais que tu... tu n'avais pas l'air contre... — Pas ici. Pas comme ça. — Ça veut dire quoi, pas comme ça ? — Pas avec cette brutalité. Sans préliminaires. Une femme a besoin de préliminaires, on ne te l'a pas appris ? Elle essayait de réorganiser ses cheveux, elle faisait dix fois le même geste pour les rassembler en arrière. Je pensais *préliminaires*, quel mot affreux. J'ai dit, laisse tes cheveux, c'est beau quand c'est le bordel. — Moi je ne veux pas que ce soit le bordel justement. J'ai bu le fond de la bouteille et j'ai dit, dégueulasse ce pinard. — Pourquoi tu le bois ? — Viens m'embrasser. — Non. Ils avaient mis de la musique en haut, mais je n'arrivais pas à analyser quoi. J'ai tendu une main de mendiant, viens. — Non. Elle a arrangé ses cheveux en chignon et s'est levée. J'ai collé ma tête au mur, corps affalé. Il ne se passait absolument rien. Elle était là debout, bras ballants. Moi, au sol, écrasant d'une main le gobelet en plastique. C'était ça être jeunes, avoir les années devant soi. C'est-à-dire rien. Un gouffre profond. Mais pas un gouffre dans lequel tu tombes. Il est en haut, en face. Mon père a raison de vivre dans les cartes. Géraldine est venue s'accroupir à côté de moi. Je commençais à avoir mal à la tête. Elle a dit, ça va ? — Oui. — À quoi tu penses ? — À rien. — Si, dis-moi. — À rien, je t'assure. J'ai attendu d'être un peu calmé et l'ai embrassée sans toucher à rien d'autre. Je me suis levé, je me suis refringué et j'ai dit, je rentre. Elle s'est relevée immédiatement, elle a dit, je vais rentrer aussi. Tu es fâché ? — Non. Ça m'énerve ces tergiversations. Cette voix gnangnan subitement. J'ai remonté les marches à grandes enjambées, je la sentais se presser pour rester à ma hauteur. Juste avant d'arriver en haut, elle a dit, Damien ? — Quoi ? — Rien. Au rez-de-chaussée, l'ambiance était bonne, des gens dansaient, Loula Moreno était partie bien sûr. Le lendemain, dans la voiture, je lui ai raconté la soirée dans les grandes lignes. Loula a dit, vous vous êtes quittés de quelle façon? — J'ai pris la voiture et je suis rentré chez moi. — Vous vous êtes dit au revoir comment? — Salut, salut, une bise sur la joue. Nul, a dit Loula. Nul, j'ai répété. Le jour était à peine levé, le temps était dégueulasse. J'avais activé tout ce qu'on peut activer dans une voiture, essuie-glace, antibuée, chauffage multidirectionnel. J'ai dit, dans la vie réelle j'ai un scooter. Loula a hoché la tête. — J'étais en patins à roulettes quand les copains étaient à vélo, à vélo quand ils étaient en scooter, maintenant en scoot quand ils sont en voiture. Je suis le garçon qui est toujours dans le bon tempo. J'ai dit, il y a une recette très connue pour faire tomber les femmes, tout le monde le sait, c'est de ne pas dire un mot. Les types qui plaisent sont silencieux et font la gueule. Moi, je ne me trouve pas assez beau, pas assez intrigant au naturel pour me taire. Je parle trop, je déconne, je veux tout le temps être marrant. Même avec vous, je veux être marrant. Souvent après une série de blagues, je m'assombris parce que je m'en veux. Surtout quand ça tombe à l'eau, je me braque, je deviens sinistre pendant un quart d'heure. Ensuite le joyeux drille reprend le dessus. Ça me fait chier tout ce cirque de la séduction. Loula a dit, tu as quoi comme scoot? — Un Yamaha Xenter 125. Vous vous y connaissez? — Pendant un temps, j'avais une Vespa. Rose, comme dans *Vacances romaines*. J'ai dit, je vous imagine bien. Vous deviez être très mignonne. Il n'était pas en noir et blanc ce film? Elle a réfléchi. Elle a dit, ah oui, c'est vrai. Mais elle avait l'air rose. Elle n'était peut-être pas rose alors.

Luc Condamine

Hier, j'ai battu Juliette avec la laisse du chien, j'ai dit. Tu as un chien ? a dit Lionel. Robert nous faisait des spaghettis dans sa cuisine. Avec un sugo napolitain. C'est comme ça que je préfère les voir, mes deux idiots. Attablés en cuisine. Sans les femmes. Livrés à nous-mêmes et au pire de nous-mêmes, dixit Lionel. J'ai frappé ma fille avec la laisse du chien, j'ai répété. Après une dispute engendrée par son insolence, j'ai dit, au moment où elle quittait la pièce, et ne claque pas la porte ! Elle a claqué la porte d'autant plus violemment. J'ai pris la laisse qui traînait, je l'ai rattrapée dans le couloir et je l'ai rossée. Je n'ai éprouvé aucun remords ni gêne. Une sorte de soulagement plutôt. Cette enfant fait régner la terreur dans la maison et nous crie dessus avec une voix suraiguë. Quand elle a su que j'avais frappé notre fille avec la laisse du chien, Anne-Laure s'est défigurée, muettement. Elle prend des têtes de théâtre yiddish pour me signifier son mépris. C'est nouveau. Elle est sortie de la pièce, pour revenir quelques minutes plus tard, dans le grand silence punitif des femmes, me présenter les lacérations du bras et d'une partie du dos. J'ai dit, elle le méritait. Juliette m'a toisé avec un visage tuméfié et rougeaud et a dit, je te hais. Je l'ai trouvée mignonne et sa voix avait une tessiture normale. Anne-Laure a dit, tu devrais voir quelqu'un. Peut-être que je dois voir quelqu'un ? Je ne me souvenais plus que tu avais un chien, a dit Lionel. — Un long rat. Appelle ça un chien. Vraiment bon ce vin. Brunello di Montalcino 2006. Bravo. Je n'ai plus aucune patience avec les femmes. L'autre jour j'avais ma mère au téléphone, Anne-Laure devant la glace (elle se trouve ridée), Juliette criant sur sa sœur, je me suis dit, mais putain ! Je vais demander au journal de m'envoyer loin. Et Paola ? a questionné Robert, tu la vois encore ? — Encore. Mais je vais arrêter. Tu n'as rien dit à Odile ? — Non, non. Tu vas arrêter pourquoi ? — Parce qu'il y a un moment où sous la courtisane perce la bonne femme. Moi qui n'aime que les filles de bar à matelots, je captive des intellos qui m'invitent à des soirées poétiques. Elle vaut beaucoup mieux que toi, a dit Robert. — C'est bien ce que je lui reproche. Et au fait, Virginie Déruelle, ça donne quoi ? Qui est-ce ? a demandé Lionel. Une petite qu'il a rencontrée dans son club de sport et qu'il veut me refiler, a répondu Robert. — Que je t'ai refilée. — Si tu veux. — Bon, alors ? Robert a ri et a extirpé un long spaghetti, goûte, assez cuit ? Je laisse encore un peu ? — C'est bon. Raconte-nous ! — Non. — Alors qu'on aurait pu lui donner de précieux conseils sur son aventure, il se contente de la vivre tout seul, j'ai dit à Lionel. Au même moment, on a entendu une musique hurlante quelque part dans l'appartement. — C'est quoi ? C'est Simon, il va nous faire virer de l'immeuble ce con, a dit Robert. Il a abandonné les pâtes et couru dans le couloir. La musique s'est arrêtée net. On l'a entendu palabrer. Il est revenu avec son plus jeune fils qui a une bouille vraiment sympathique. J'aurais bien aimé avoir un fils. Robert a dit, si les voisins sonnent, je laisse ton frère se démerder avec eux. Et je serai de leur côté à cent pour cent. Tu veux quoi toi, du lait ? Antoine a bredouillé, du jus de cassis. — Pas le soir, pas après s'être lavé les dents. Du jus de cassis, a répété Antoine. — Pourquoi tu ne veux pas du lait, tu aimes le lait ! — Je veux du jus de cassis. File-lui du jus de cassis, qu'est-ce que ça peut foutre, j'ai dit. Robert lui a servi un verre de jus de cassis. Allez, au lit castor. Robert a essoré les spaghettis et les a versés dans un plat sur la table. Lionel a dit, on a eu ça pendant des années avec Jacob. Les voisins passaient leur vie à frapper ou sonner chez nous. Et Jacob alors ? Il fait toujours son stage à Londres ? a questionné Robert. Lionel a acquiescé. Un stage de quoi déjà ? j'ai demandé. — Dans une maison de disques. — Laquelle ? — Un petit label. — Il est content ? — Il a l'air. Robert s'agitait pour nous servir. Il râpait du parmesan. Il coupait du basilic qu'il dispersait sur le sugo. Il disposait les condiments, l'huile d'olive de Sicile, une huile aux piments. Il remplissait nos verres. On était bien tous les trois. J'ai dit, c'est bien qu'on soit tous les trois. On a trinqué. À l'amitié. À la vieillesse. À la qualité de l'hospice qui nous accueillera. Et pour l'honneur rare de bénéficier de la présence de Lionel, a dit Robert. Lionel a voulu protester. J'ai dit, avoue que tu n'es jamais libre, il a raison. C'est plus facile d'avoir un rendez-vous avec Nelson Mandela qu'avec Lionel Hutner. Hého! Un peu d'humour mon lapin! Tu es le seul qui a réussi à être heureux en couple. Ça occupe, sûrement. La porte s'est ouverte sur Simon, l'aîné d'Odile et Robert. Un corps d'enfant et une mèche brune ondulée, mystérieusement collante, rabattue sur le front, trahissant un souci de mode. Qu'est-ce qu'il y a encore? a dit Robert, on aimerait bien ne plus être dérangés si c'est possible. — Il reste du jus de cassis? Oh, génial des pâtes, je peux goûter? — Fais-toi une assiette et disparais. J'ai contemplé la joie et l'excitation dans les yeux du garçon en pyjama rouge devenu trop court, tandis que les spaghettis, la tomate et le parmesan formaient un petit monticule dans l'assiette. J'ai attendu qu'il parte avec son jus de cassis dans l'autre main, et j'ai dit, être heureux, c'est une disposition. Tu ne peux pas être heureux en amour si tu n'as pas une disposition à être heureux. Mon petit vieux, tu vas réussir à rendre cette soirée sinistre, a dit Robert. Concentre-toi sur les pâtes. Aucun compliment? Excellent, a dit Lionel. — Quand on mourra, Anne-Laure et moi, le bilan sera apocalyptique. Mais qui se souciera de ce bilan? Avoir gâché ma vie, je m'en foutrai complètement. Je pense me mettre au judo en septembre. Je veux des pâtes aussi, a dit Antoine qui venait de réapparaître. Tu as déjà mangé, qu'est-ce que vous êtes chiants, retourne au lit, a gueulé Robert. Pourquoi Simon a le droit de remanger ? — Parce qu'il a douze ans. Ça va le convaincre ça, suis-je intervenu. Robert a saisi une assiette et y a jeté une poignée de spaghettis. Pas de sauce, seulement du parmesan, a dit Antoine. — Allez, fiche le camp. Robert a débouché une autre bouteille de Brunello. On ne t'entend pas beaucoup, j'ai dit à Lionel. Lionel avait un drôle d'air. Il regardait le fond de son verre en le faisant tourner. Puis il a annoncé, avec une voix caverneuse, Jacob est interné. Un silence a suivi. Il a dit, il n'est pas à Londres, mais dans une maison de santé à Rueil-Malmaison. Je peux compter sur votre entière discrétion ? Pas un mot à Anne-Laure, à Odile ou à qui que ce soit. On a dit, bien sûr, Robert et moi. Bien sûr. Robert a rempli le verre de Lionel. Lionel a bu plusieurs gorgées d'affilée. — Vous vous souvenez de sa propension à… de son engouement pour… pour Céline Dion ? Dès qu'il a prononcé le nom, Lionel s'est mis à rire en postillonnant, d'une façon irrépressible, les yeux embués et rouges et le corps secoué de spasmes. Ça nous a pétrifiés de le voir rire comme ça. Il a essayé de dire autre chose, mais on avait l'impression qu'il ne pouvait que répéter ce nom, et encore, pas en entier, d'une voix étranglée, à chaque fois submergé par une hilarité tragique. Il essuyait des larmes sur ses joues, avec la paume entière de sa main, on ne savait pas trop d'où elles venaient, de rire ou de pleurs. Au bout d'un moment, il s'est calmé. Robert a tapoté son épaule. On est restés comme ça. Tous les trois autour de la table. Sans rien comprendre et sans savoir quoi faire. Puis Lionel s'est levé. Il a fait couler le robinet de l'évier et s'est aspergé le visage plusieurs fois. Il s'est tourné vers nous et a dit, dans un effort visible pour maîtriser les mots, Jacob se prend pour Céline Dion. Il est convaincu d'*être* Céline Dion. Je n'osais pas regarder Robert. Lionel avait prononcé la deuxième phrase avec une gravité extrême et nous dévisageait avec des yeux terrifiés. J'ai pensé, tant que je ne regarde pas Robert, je peux conserver une expression empathique. Tant que j'ignore Robert, je peux maintenir le masque douloureux dont Lionel a besoin. C'était l'enfant le plus joyeux de la terre, a dit Lionel. Le plus inventif. Il créait des paysages dans sa chambre, des archipels, un zoo, un parking. Il organisait toutes sortes de spectacles. Pas seulement de musique. Il avait un magasin avec de la fausse monnaie. Il criait, le magasin est ouvert ! Je ne sais pas pourquoi, cette évocation du magasin l'a plongé dans une rêverie soucieuse. Il s'est mis à fixer un point sur le carrelage. Puis il a dit, tu as raison, être heureux c'est une disposition. Peut-être qu'il ne faudrait pas l'avoir dans l'enfance ? Je me suis posé la question. Peut-être qu'être heureux dans l'enfance, ce n'est pas une bonne chose pour la vie ? En regardant Lionel debout au milieu de la cuisine, avec sa ceinture trop haute, sa chemise mal rentrée, j'ai pensé qu'il suffisait d'un rien pour qu'un homme ait l'air vulnérable. Derrière moi Robert a dit, reviens t'asseoir mon petit vieux. J'ai commis l'erreur de me retourner. L'espace d'une seconde mes yeux ont croisé les siens. Je ne sais plus lequel de nous deux a craqué en premier. On s'est recroquevillés sur la table en suffoquant de rire. Je me souviens d'avoir agrippé le bras de Robert pour l'enjoindre de cesser, j'ai encore dans l'oreille le son de ses pouffements incontrôlés. On s'est levés, toujours en riant, on a supplié Lionel de nous pardonner. Robert a pris Lionel dans ses bras, moi je me suis agglutiné à eux, et on l'a serré comme deux enfants honteux qui se cachent dans la jupe de leur mère. Puis Robert s'est détaché. Au prix d'une concentration que j'ai imaginée intense, il avait réussi à se recomposer un visage sérieux. Il a dit, tu sais bien qu'on ne se moque pas. Lionel était grandiose, souriant gentiment, il a dit, je sais, je sais. On s'est remis à table. Robert a rempli les verres. On a trinqué encore. À l'amitié. À la santé de Jacob. On a posé quelques questions. Lionel a dit, Pascaline m'impressionne. Je sais à quel point elle est inquiète mais elle maintient un esprit de gaieté, elle reste positive. Ne lui dites pas que vous êtes au courant. Si un jour elle vous en parle, vous ne saviez rien. On a promis de ne rien dire. On a essayé de parler d'autre chose. Lionel m'a lancé sur mes reportages récents. Je leur ai raconté l'inauguration du Mémorial juif à Skopje. La cérémonie en plein air sur des chaises en plastique. Le son de fanfare montant au loin, comme un bruit de jouet. Les trois soldats macédoniens, sortes de skinheads rasés, en longue cape, les bras horizontaux, portant un coussin sur lequel il y avait une cannette de soda qui en réalité était une urne de cendres des

victimes de Treblinka. Le tout complètement grotesque. Un mois après, re-fanfare au Rwanda. Dix-
huitième anniversaire du génocide dans le stade de
Kigali. Surgissant d'une porte genre entrée des lions
dans *Ben-Hur*, des types au pas de l'oie, lançant des
bâtons. J'ai dit, pourquoi faut-il que tous ces massacres finissent en fanfare ? Oui, c'est vrai, a com-
menté Lionel. Et on s'est remis à rire, tous les trois,
bourrés sans doute.

Hélène Barnèche

L'autre jour, dans le bus, un homme, bien en chair, s'est assis devant moi, sur la banquette opposée à côté de la fenêtre. J'ai mis du temps à m'intéresser à lui. Je n'ai levé la tête qu'en raison des yeux que j'ai sentis posés sur moi. L'homme me détaillait, avec un air immensément sérieux, presque divinatoire. J'ai fait ce qu'on fait dans ces circonstances, on soutient bravement le regard pour marquer l'indifférence et on retourne à d'autres contemplations. Mais j'étais mal à l'aise. Je sentais la persistance de son intérêt et je me suis même demandé si je n'allais pas lui balancer une remarque. J'y réfléchissais quand j'ai entendu, Hélène ? Hélène Barnèche ? J'ai dit, on se connaît ? Il a dit, comme s'il était le seul au monde, et d'ailleurs c'était le cas, Igor. C'était moins le prénom que la façon de le prononcer que j'ai reconnue sur-le-champ. Une façon de traîner sur le *o*, de glisser une ironie prétentieuse dans ces deux syllabes. J'ai répété le prénom, bêtement, et à mon tour j'ai scruté son visage. Je suis une femme qui n'aime pas les photos (je n'en prends jamais), qui n'aime aucune image, gaie ou triste, susceptible de réveiller une émotion. Les émotions sont effrayantes. Je voudrais que la vie avance et que tout soit effacé au fur et à mesure. Je n'ai pu rattacher ce nouvel Igor à celui du passé. Ni sa consistance physique ni aucun des attributs de sa magie. Mais je me rappelais la portion de temps qui avait porté son nom. Quand j'ai connu Igor Lorrain, j'avais vingt-six ans, lui à peine plus. J'étais déjà mariée à Raoul et je travaillais à la Caisse des dépôts comme secrétaire. Lui faisait des études de médecine. À l'époque, Raoul passait ses nuits dans les cafés à jouer aux cartes. Un copain, Yorgos, avait emmené Igor au Darcet, place Clichy. J'y étais presque tous les soirs mais je rentrais me coucher tôt. Igor se proposait de me raccompagner. Il avait une 2CV bleue qu'on faisait démarrer avec une manivelle en ouvrant le capot, parce que la calandre était cabossée. Il était grand, mince. Il hésitait entre le bridge et la psychiatrie. Il était dingue surtout. C'était dur de lui résister. Un soir, il s'est penché vers moi à un feu rouge et il a dit, ma pauvre Hélène, tu es bien délaissée. Et il m'a embrassée. C'était faux, je ne me sentais pas délaissée mais le temps que je me pose la question j'étais déjà dans ses bras. On n'avait rien mangé, il m'a emmenée dans un petit bistrot, porte de Saint-Cloud. J'ai tout de suite compris à qui j'avais affaire. Il a commandé deux poulets haricots verts. Quand on nous a servis, il a goûté et il a dit, tiens, mets du sel. J'ai dit, non, c'est bien pour moi. Il a dit, mais non, ce n'est pas assez salé, rajoute du sel. J'ai dit, ça va très bien Igor.

Il a dit, mets du sel je te dis. Et j'ai mis du sel. Igor Lorrain venait du Nord, comme moi. Lui était de Béthune. Son père travaillait dans le transport fluvial. Ça ne rigolait pas chez moi. Mais encore moins chez lui. Dans nos familles, une torgnole était vite arrivée, quand ce n'était pas des coups ou des objets lancés à la gueule. Longtemps je me suis battue pour un oui, pour un non. J'ai frappé mes copines, j'ai frappé mes petits amis. J'ai frappé Raoul au début, mais il se marrait. Je ne savais quoi faire d'autre quand il me contrariait. Je le tapais. Il se pliait exagérément comme sous l'effet d'une plaie d'Égypte ou alors m'attrapait les poignets d'une seule main en riant. Je n'ai jamais tapé Damien. Je n'ai plus tapé personne quand j'ai eu mon fils. Dans le 95, qui va de la place Clichy à la porte de Vanves, je me suis souvenue de ce qui m'avait enchaînée à Igor Lorrain. Non pas l'amour, ou n'importe lequel des noms qu'on donne au sentiment, mais la sauvagerie. Il s'est penché et il a dit, tu me reconnais ? J'ai dit, oui et non. Il a souri. Je me suis souvenue aussi qu'autrefois je n'arrivais jamais à lui répondre avec netteté. — Tu t'appelles toujours Hélène Barnèche ? — Oui. — Tu es toujours mariée avec Raoul Barnèche ? — Oui. J'aurais voulu faire une phrase plus longue, mais je n'étais pas capable de le tutoyer. Il avait des cheveux longs poivre et sel, mis en arrière d'une curieuse façon, et un cou empâté. Dans ses yeux, je retrouvais la graine de folie sombre qui m'avait aspirée. Je me suis passée en revue mentalement. Ma coiffure, ma robe et mon gilet, mes mains. Il s'est penché encore pour dire, tu

es heureuse ? J'ai dit, oui, et j'ai pensé, quel culot. Il a
hoché la tête et pris un petit air attendri, tu es heureuse, bravo. J'ai eu envie de le claquer. Trente
années d'humeur tranquille balayées en dix secondes.
J'ai dit, et toi Igor ? Il s'est calé contre la banquette, et
il a répondu, moi, non. — Tu es psychiatre ? — Psychiatre et psychanalyste. J'ai fait une moue pour
signifier que je n'étais pas au fait de ces subtilités. Il a
esquissé un geste pour signifier que ce n'était pas
grave. Il m'a dit, tu vas où ? Ces trois mots m'ont
chamboulée. *Tu vas où*, comme si on s'était vus la
veille. Avec le même ton d'autrefois, comme si on
n'avait rien fait d'autre dans l'existence que tourner
en rond. *Tu vas où* m'a transpercée. J'ai senti remonter des sensations confuses. Il y a en moi une région
abandonnée qui aspire à la tyrannie. Raoul ne m'a
jamais *tenue*. Mon Rouli a toujours pensé à jouer et à
s'amuser. Ça ne lui est jamais venu à l'esprit de sur-
veiller son bout de femme. Igor Lorrain voulait me
ligoter. Il voulait savoir dans le détail où j'allais, ce
que je faisais et avec qui. Il disait, tu m'appartiens. Je
disais, non. Il disait, dis que tu m'appartiens. Non. Il
serrait mon cou, il serrait fort jusqu'à ce que je dise,
je t'appartiens. D'autres fois il me frappait. Je devais
le répéter parce que ça ne lui parvenait pas. Je me
débattais, je rendais tous les coups mais il me maîtri-
sait toujours. On finissait au lit pour se consoler.
Ensuite je m'enfuyais de chez lui. Il habitait une
chambre de bonne minuscule boulevard Exelmans.
Je m'enfuyais dans l'escalier. Il criait par-dessus la
rampe, dis que tu m'appartiens et je disais, en

dévalant, non, non, non. Il me rattrapait, me coinçait contre le mur ou la grille de l'ascenseur (quelquefois des voisins passaient), il disait, tu vas où, petite garce, tu sais que tu m'appartiens. On refaisait l'amour sur les marches. Une femme veut être dominée. Une femme veut être enchaînée. On ne peut pas expliquer ça à tout le monde. Je cherchais à rétablir l'homme qui était devant moi dans ce bus. Un vieux beau usé. Je ne reconnaissais pas le rythme du corps. Mais le regard, oui. La voix aussi. — Tu vas où ? — À Pasteur. — Tu vas faire quoi à Pasteur ? — Tu exagères. — Tu as des enfants ? — Un fils. — Il a quel âge ? — Vingt-deux ans. Et toi, tu as des enfants ? — Il s'appelle comment ? — Mon fils ? Damien. Et toi tu as des enfants ? Igor Lorrain a hoché la tête. Il a regardé par la fenêtre une publicité de chauffage individuel. Est-ce qu'il pouvait avoir des enfants ? Évidemment. N'importe qui peut avoir des enfants. J'aurais aimé savoir avec quel genre de femme. J'ai eu envie de lui demander s'il était marié, mais je ne l'ai pas fait. J'ai eu de la peine pour lui, et pour moi. Deux presque vieux, trimballés dans Paris, portant leur vie. Il avait posé à côté de lui une serviette râpée en cuir, genre cartable. La poignée était déteinte. Il m'a semblé très seul. Sa façon de se tenir, son habillement. On voit quand personne ne prend soin de vous. Peut-être a-t-il quelqu'un, mais pas quelqu'un qui prend soin de lui. Moi je bichonne mon Rouli. On peut même dire que je l'embête. Je choisis ses vêtements, je lui teins les sourcils, je l'empêche de boire, de manger le bol de mélange

141

salé. À ma façon, je suis seule aussi. Raoul est doux et affectueux (sauf quand nous sommes partenaires au bridge, il se métamorphose), mais je sais qu'il s'ennuie avec moi (sauf quand on va au cinéma). Il est heureux avec ses copains, il s'est inventé une existence en dehors des choses réelles et des corvées de tout le monde. Mon amie Chantal dit que Raoul ressemble aux hommes politiques. Des gens toujours absents même quand ils sont là. Damien est parti. Je me suis même obligée à le mettre un peu dehors. En faisant le ménage dans sa chambre, j'ai retrouvé des vestiges de toutes les époques. Un soir, je me suis assise sur son lit et j'ai pleuré en ouvrant une boîte pleine de marrons peints. Les enfants s'en vont, il le faut, c'est normal. Igor Lorrain a dit, je descends là, viens avec moi. J'ai regardé le nom de l'arrêt, c'était Rennes-Saint-Placide. J'ai dit, je descends à Pasteur-Docteur-Roux. Il a haussé les épaules comme si c'était la dernière destination concevable. Il s'est levé. Il a dit, viens, Hélène. *Viens, Hélène.* Et il a tendu la main. J'ai pensé, il est dingue. J'ai pensé, nous sommes encore vivants. J'ai posé ma main sur la sienne. Il m'a tirée parmi les passagers vers la sortie et nous sommes descendus du bus. Il faisait beau. Il y avait des travaux sur la chaussée. On s'est glissés dans un labyrinthe de parpaings et de panneaux pour traverser la rue de Rennes. Les gens marchaient dans les deux sens et se bousculaient. Tout était bruyant. Igor me tenait la main serrée. On s'est retrouvés boulevard Raspail. Je lui étais infiniment reconnaissante de ne pas me lâcher. Le soleil m'aveuglait. Je distinguais, comme si c'était la première fois, les rangées d'arbres du milieu, les massifs de plantes dans leur clôture en fer forgé bleu-vert. Je n'avais aucune idée d'où nous allions. Est-ce qu'il le savait lui ? Un jour, Igor Lorrain m'avait dit, c'est une erreur de m'avoir mis dans une société humaine. Dieu aurait dû me mettre dans la savane et me faire tigre. J'aurais régné sur mon territoire sans quartier. Nous remontions vers Denfert. Il m'a dit, tu es toujours aussi petite. Lui était grand comme avant, mais plus épais. Je courais un peu pour être dans ses pas.

Jeannette Blot

Je suis affreuse, affreuse, affreuse. Je ne veux même
pas sortir de la cabine pour me montrer à Marguerite.
Je ne peux porter aucun vêtement ajusté. Je n'ai plus
de taille. Ma poitrine s'est élargie. Je ne peux pas
montrer mon décolleté. Autrefois oui. Aujourd'hui
non. Elle n'est pas réaliste cette Marguerite.
D'ailleurs elle-même n'est jamais autrement qu'en
ras-du-cou ou avec un petit foulard. Ma fille et ma
belle-sœur se sont mis en tête de me rhabiller à je ne
sais quelles fins psychologiques. Quand on a fêté mes
soixante-dix ans, l'autre soir, Odile m'a dit, tu ne
t'habilles pas maman, tu te couvres de textile. — Et
alors ? Qui me regarde ? Sûrement pas Ernest. Ton
père ne sait même plus que j'ai un corps. Le lendemain, elle m'a appelée pour me dire qu'en passant
devant Franck et Fils, elle avait vu une petite robe
marron avec des liserés orange. Qui t'irait à ravir
maman, a-t-elle dit. C'est vrai que sur le mannequin
de la vitrine, elle avait une certaine allure. Ça te va ?
demande Marguerite derrière le rideau. — Non,

non, pas du tout! — Montre-moi. — Non, non, ce n'est pas la peine! J'essaie d'enlever la robe. La fermeture Éclair est coincée. Je suis au bord de tout déchirer. Je sors de la cabine qui est un caveau étouffant, aide-moi à l'enlever Marguerite! — Laisse-moi te regarder. Tu es très bien! Qu'est-ce que tu n'aimes pas? — Je n'aime rien. Tout est horrible. Tu y arrives? — Et le chemisier? — Je déteste les froufrous. — Il n'y en a pas. — Si. — Pourquoi tu es si nerveuse Jeannette? — Parce que vous m'obligez toi et Odile à faire des choses contre nature. C'est un calvaire ces courses. — La fermeture est prise dans la combinaison. Ne gigote pas comme ça. Je me mets à pleurer. Ça vient d'un coup. Marguerite s'affaire dans mon dos. Je ne veux pas qu'elle s'en aperçoive. C'est ridicule. On ravale toutes ses larmes pendant des années et voilà qu'on pleure sans raison dans un salon d'essayage de Franck et Fils. Ça va? dit Marguerite. Elle a l'ouïe fine. Elle m'irrite, elle remarque tout. Finalement je préfère les gens qui ne remarquent rien. On apprend à être seule. On s'organise très bien. On n'a pas à s'expliquer. Marguerite dit, ne bouge pas, j'y suis presque. Dans un livre de Gilbert Cesbron, il me semble, une femme demandait à son confesseur, faut-il céder au chagrin, ou lutter et le contenir? Le confesseur avait répondu, retenir ses sanglots ne sert à rien. Le chagrin reste logé quelque part. Et voilà, triomphe Marguerite. Je me replie dans la cabine pour me libérer. Je me rhabille, je tente de rafraîchir mon visage. La robe glisse du cintre et tombe, je la ramasse et la laisse comme un chiffon sur le tabouret. Dans la rue, j'exhorte Marguerite à abandonner ce projet de me ramener à la coquetterie. Ma belle-sœur s'arrête devant toutes les vitrines. De confection, de chaussures, de maroquinerie et même de linge de maison. Il faut dire qu'elle habite Rouen la pauvre. De temps à autre, elle tente encore de me motiver, mais il est clair que c'est elle qui a envie d'entrer, de toucher un sac, d'essayer un vêtement. Je lui dis, ça t'irait bien toi. Rentrons voir. Elle répond, oh non, non, j'ai trop de choses inutiles, je ne sais plus quoi en faire. J'insiste, elle est gentille cette petite veste, elle va avec tout. Marguerite secoue la tête. J'ai peur que ce soit par délicatesse. Je trouve ça navrant, deux femmes qui marchent dans une haie de boutiques de mode sans rien vouloir. Je n'ose pas demander à Marguerite si elle a un homme dans sa vie (c'est bête cette expression, ça veut dire quoi avoir un homme dans sa vie ? Moi qui en ai un sur le papier, je n'en ai pas). Quand on a un homme dans sa vie, on s'interroge sur des choses idiotes, la tenue du rouge à lèvres, la forme du soutien-gorge, la couleur des cheveux. Ça occupe le temps. C'est gai. Peut-être que Marguerite a ce genre de préoccupations. Je pourrais lui poser la question mais j'ai peur d'une révélation qui me ferait souffrir. Ça fait tant d'années que je n'aspire à aucune métamorphose. Lorsqu'il était au pic de sa carrière, Ernest vérifiait mon apparence. Ça n'avait rien d'attentionné. On sortait souvent. J'étais un élément du décorum. L'autre jour, j'ai emmené mon petit-fils Simon au Louvre voir les peintures de la Renaissance italienne. Il est la lumière de mes jours ce petit. Il s'intéresse à l'art, à douze ans. En observant dans les tableaux ces personnages rasant les murs en habits sombres, les êtres cruels et malfaisants des temps anciens, marchant courbés, en route vers on ne sait où, je me suis dit, que deviennent ces âmes mauvaises ? Ont-elles disparu de tous les livres, disparu en toute impunité ? J'ai pensé à Ernest. Ernest Blot, mon mari, est pareil à ces ombres du soir. Fourbe, menteur, sans pitié. Je dois moi-même être tordue pour avoir voulu être aimée de cet homme. Les femmes sont séduites par les hommes effroyables, parce que les hommes effroyables se présentent masqués comme au bal. Ils arrivent avec des mandolines et des costumes de fête. J'étais jolie. Ernest était possessif, je prenais la jalousie pour de l'amour. J'ai laissé quarante-huit années passer. Nous vivons dans l'illusion de la répétition, comme le jour qui se lève et se couche. Nous nous levons et nous couchons, croyant répéter le même geste, mais c'est faux. Marguerite ne ressemble pas à son frère. Elle est amicale, elle a des scrupules. Elle dit, Jeannette, tu veux toujours essayer de conduire ? Je dis, tu crois ? Tu ne crois pas que c'est de la folie ? On se met à rire. On est excitées d'un coup. Ça fait trente ans que je n'ai pas touché un volant. Marguerite dit, on va trouver un endroit où il n'y a pas trop de monde dans le bois de Boulogne. — D'accord. D'accord. On cherche sa voiture. Marguerite a oublié où elle l'a garée et moi j'ai même oublié ce que c'est comme voiture. Je lui en propose deux ou trois avant qu'on ne tombe sur la bonne. Elle met le contact et démarre. J'observe ses gestes. Elle demande, tu as pris ton permis ? — Oui. Tu crois qu'il est encore valable ? Ça n'existe plus ce genre de permis. Marguerite jette un œil et dit, j'ai le même. — C'est quoi ta voiture ? — Une Peugeot 207 automatique. — Automatique ! Je ne sais pas conduire une automatique ! — C'est très facile. Bien plus facile qu'avec des vitesses. Il n'y a rien à faire. — Oh la la. Une automatique ! Marguerite dit, tu ne dis rien à Odile, tu me promets, hein ? Je ne veux pas me faire enguirlander par ta fille. — Rien. Elle m'énerve à me surprotéger comme ça. Je ne suis pas en sucre. Nous tournons un peu dans le bois à la recherche d'un coin tranquille. Nous finissons par dénicher une petite allée qui s'interrompt par une barrière blanche de cinq mètres de large. Marguerite se gare. Elle éteint le contact. Nous descendons l'une et l'autre pour intervertir nos places. On rit un peu. Je dis, je ne sais plus rien faire Marguerite. Elle dit, tu as deux pédales. Le frein et l'accélérateur. Elles s'utilisent avec un seul pied. Ton pied gauche n'a rien à faire. Mets le contact. Je mets le contact. Le moteur ronronne. Je me tourne vers Marguerite, enthousiasmée d'avoir mis le contact si facilement. C'est bien, dit Marguerite avec son ton de prof (elle enseigne l'espagnol). Tu as pu mettre le contact car tu étais sur P, c'est-à-dire sur parking. Mets ta ceinture. — Tu crois ? — Oui, oui. Marguerite se penche et attache la ceinture qui m'engonce. Je dis, je me sens prisonnière. — Tu vas t'habituer. Maintenant tu mets le levier sur D c'est-à-dire sur *drive*, position conduite.

Où est ton pied droit ? — Nulle part. — Mets-le sur le frein. — Pourquoi ? — Parce qu'une fois sur D tu n'auras qu'à le relâcher et la voiture démarrera. — Tu crois ? — Oui. — Ça y est. — Mets-toi sur D. Je prends une respiration et je me mets sur D. Il ne se passe rien. Marguerite dit, relâche doucement ton pied. Vas-y, vas-y, relève-le complètement. Je le relève complètement. Je suis tendue à l'extrême. La voiture avance. Je dis, elle avance ! — Maintenant tu mets ton pied sur l'accélérateur. — C'est où ? — Juste à côté du frein, juste à côté. Mon pied tâtonne, je sens une pédale, j'appuie. La voiture s'arrête violemment, nous propulsant en avant. La ceinture me sectionne la poitrine. Qu'est-ce qui se passe ? Tu t'es remise sur le frein, dit Marguerite. On a pilé. On recommence. Mets-toi en P. Contact. Bravo. Maintenant, mets-toi sur N. — C'est quoi N ? — Neutre. C'est le point mort. — Ah, le point mort ! Oui, oui. — On reprend. Frein. Drive. Laisse ton pied gauche se reposer, il n'a rien à faire. — Je ne sais pas conduire une automatique ! — Tu vas savoir. Voilà. Le levier sur D et tu relâches. Bravo. Maintenant tu déplaces légèrement ton pied sur la droite pour trouver la pédale de l'accélérateur et tu appuies. Je me concentre. La voiture roule. Je retiens mon souffle. La barrière est encore loin mais je m'y dirige sans aucun contrôle sur rien. Je panique. Comment je freine ? Comment je m'arrête ? — Tu freines. — Je reste sur… sur… comment ça s'appelle ? — Oui tu restes sur D. Et au moment où la voiture s'arrête, tu reviens sur N. Sur N, pas sur R ! R c'est la marche arrière. N'utilise pas ton pied gauche ! Tu appuies sur les deux pédales en même temps Jeannette ! Nous nous arrêtons cahin-caha dans un bruit bizarre. Je suis en nage. Je dis, j'espère que tu as plus de patience avec tes élèves. — Mes élèves sont plus dégour-dis. — C'est toi qui m'as proposé de reprendre la conduite. — Tu te morfonds dans ton appartement, tu as besoin d'indépendance. Remets le contact. Mets-toi sur P. Que fait ton pied droit ? — Je ne sais pas. — Pose-le sur l'accélérateur sans appuyer. Voilà. Mets-toi sur D. Et vas-y. Accélère gentiment. Les recommandations de ma belle-sœur filent dans une partie lointaine de mon cerveau. J'y réponds mécani-quement. La petite boule du chagrin est revenue dans ma gorge. J'essaye de la chasser. Nous avançons. Tu vas où ? demande Marguerite. — Je ne sais pas. — Tu vas droit sur la barrière. — Oui. — Tu peux tourner avant dans l'herbe. Tu fais le tour de l'arbre et tu reviens dans l'autre sens. Elle me désigne un endroit que je ne vois pas car je suis incapable de regarder ailleurs que devant. Ralentis, dit Marguerite, ralentis. Elle me stresse. Je ne sais plus comment on ralentit. Mes bras sont vissés au volant comme deux barres de fer. Tourne, tourne Jeannette ! crie Marguerite. Je ne sais plus où je suis. Marguerite s'est agrippée au volant. La barrière est à deux mètres. — Lâche le volant Jeannette ! Enlève ton pied ! Elle tire le frein à main et actionne le levier de vitesse. La voiture se cabre, percute et racle la barrière blanche. Puis s'immobilise. Marguerite ne dit pas un mot. Les larmes sont montées d'un coup et me brouillent la vue. Marguerite sort. Elle contourne la voiture par l'arrière et va constater les dégâts. Elle ouvre ma portière. Elle dit, d'une voix douce (ce qui est pire que tout), descends, je vais faire une marche arrière. Elle m'aide à ôter la ceinture. Elle s'assoit à ma place et effectue une courte marche arrière pour dégager la 207 de la barrière. Elle ressort. L'avant gauche est un peu enfoncé, un phare cassé et toute l'aile gauche éraflée. Je murmure, je suis désolée, pardon. Marguerite dit, tu me l'as arrangée dis donc. — Je suis désolée Marguerite, je payerai toute la réparation. Elle me regarde, Jeannette, tu ne vas pas pleurer pour ça ? Ma Jeannette c'est idiot, on s'en fiche d'une voiture cabossée. Si tu savais le nombre de trucs que j'ai emboutis dans ma vie ; un jour, devant le lycée, j'ai même manqué écraser un élève de cinquième. Je dis, pardonne-moi, pardonne-moi, j'ai gâché toute la journée. Allez remonte, dit Marguerite, allons manger une glace à Bagatelle. Ça fait des mois que j'ai envie de retourner à Bagatelle. Nous reprenons nos places initiales dans la voiture. Elle démarre sans difficulté. Elle effectue une marche arrière dans l'herbe avec une dextérité qui m'afflige. Je comprends les gens qui aiment le mauvais temps. Ça ne donne pas des idées comme d'aller voir un jardin de fleurs. Remets-toi Jeannette, dit Marguerite. Il faut avouer qu'elle nous tendait les bras cette barrière. Pour te dire la vérité, j'ai su dès le début que tu allais rentrer dedans. Je souris malgré moi. Je dis, tu ne raconteras jamais ça à Ernest. — Ah, ah je te tiens ! rit Marguerite. J'adore Marguerite. J'aimerais mieux l'avoir épousée elle que son frère. J'entends le télé-phone portable sonner dans mon sac. Odile m'a ins-tallé une sonnerie stridente car elle pense que je suis sourde. À part Odile et Ernest, ou mon gendre Robert, personne ne m'appelle sur cet appareil. Allô ? — Maman ? — Oui ? — Où es-tu ? — Dans le bois de Boulogne. — Bon. Ne t'inquiète pas, mais papa déjeunait avec ses copains du Troisième Cercle et il a eu un malaise. Le restaurant a appelé le Samu. Ils l'ont emmené à la Pitié. — Un malaise ?… — Tu es toujours avec Marguerite ? — Oui… — Vous avez trouvé de jolies choses ? Je dis, quel genre de malaise ? Où es-tu Odile ? La voix d'Odile est sourde, un peu caverneuse. — À la Pitié-Salpêtrière. On va lui faire une coronarographie pour voir si les pontages sont bouchés. — Si quoi ? On va lui faire quoi ? — On attend les examens. Ne t'inquiète pas. Et dis-moi, tu as essayé la robe de Franck et Fils, maman ?

Robert Toscano

Subitement, à la sortie de la morgue, qu'ils appellent l'Amphithéâtre, rue Bruant, au moment où les garçons enfourguent le cercueil d'Ernest dans le coffre, ma belle-mère, Jeannette, prise d'une terreur incompréhensible, refuse de monter dans la limousine mortuaire. Elle est censée y prendre place avec Marguerite et le régleur, qui ce jour se fait appeler maître de cérémonie, et nous sommes censés les suivre dans la Volkswagen avec Odile et ma mère jusqu'au crématorium du Père-Lachaise. Ma belle-mère, chaussée d'inhabituels talons, se recule (manquant tomber) jusqu'au mur comme une bête qu'on veut conduire à l'abattoir. Le dos collé à la pierre, sous la lumière aveuglante, effectuant de grands balayages frénétiques de l'air, elle enjoint la Mercedes break de partir sans elle, sous l'œil effaré de Marguerite déjà installée à l'arrière. Maman, maman, dit Odile, si tu ne veux pas monter avec papa, j'y vais moi. Toi tu montes avec Robert et Zozo. Elle prend gentiment son bras pour l'amener à la Volkswagen dans laquelle ma mère, affaissée par la chaleur (l'été est venu d'un coup), attend assise à l'avant. Le régleur se précipite pour ouvrir la portière arrière mais Jeannette balbutie quelque chose qui s'avère être : je veux être devant. Odile chuchote, maman s'il te plaît, ça n'a pas d'importance. — Je veux suivre Ernest. C'est mon mari qui est là-dedans ! Tu veux que je reste avec toi maman ? Marguerite peut accompagner le cercueil toute seule, dit Odile en me lançant un coup d'œil qui signifie, change ta mère de place. Je n'ai sans doute pas la bonne réaction car Odile a déjà introduit sa tête dans la voiture : Zozo, auriez-vous la gentillesse de passer derrière, maman est angoissée à l'idée de monter dans la Mercedes ? Ma mère me regarde avec l'expression d'une personne qui croyait avoir tout vu. Sans un mot, avec lenteur, elle détache sa ceinture de sécurité, ramasse son sac et s'extirpe du siège en soulignant l'inconfort arthritique du mouvement. Merci Zozo, dit Odile, c'est très généreux. Toujours sans un mot, et avec la même lourdeur gestuelle, s'éventant de la main, ma mère installe son corps à l'arrière. Jeannette s'assoit à l'avant sans aucune reconnaissance, avec la tête de qui, de toute façon, n'a plus sa place dans le monde. Odile monte dans la Mercedes avec sa tante et le régleur. Je prends le volant pour les suivre jusqu'au Père-Lachaise. Au bout d'un moment, Jeannette dit, le visage rivé au pare-brise et, par-delà, au coffre noir de la Mercedes, votre mari s'est fait crématiser, Zozo ? Crématiser, répète ma mère, quel mot curieux ! C'est le mot, dit

Jeannette, incinérer c'est pour les ordures ména-
gères. Jamais entendu, dit ma mère. Mon père est
enterré au cimetière de Bagneux, j'interviens.
Jeannette semble méditer l'information puis elle se
retourne et dit, vous vous ferez mettre avec lui ?
Bonne question, dit ma mère. Si ça ne tenait qu'à
moi, jamais de la vie. Je déteste ce Bagneux. Personne ne vient jamais vous voir. C'est complètement
plouc. Devant nous, la Mercedes roule avec une lenteur exaspérante. Est-ce que ça fait partie du cérémo-
nial ? Nous sommes arrêtés à un feu rouge. Un
vague silence s'est installé. J'ai chaud. Ma cravate me
serre. J'ai mis un costume trop épais. Jeannette
cherche quelque chose dans son sac. Je ne supporte
pas ce bruit semi-feutré de cliquetis et de frottement
de cuir qui émane de ces farfouillements. D'autant
qu'elle soupire et je ne supporte pas non plus les
gens qui soupirent. Tu cherches quoi Jeannette ? je
dis au bout d'un moment. — La page du *Monde*,
je n'ai même pas eu le temps de la lire. Je plonge ma
main droite dans son sac et l'aide à extraire l'article
plié et froissé. — Tu peux le lire à voix haute ?
Jeannette met ses lunettes et articule d'une voix
morne : « Disparition d'Ernest Blot. Un banquier
aussi influent que secret. Né en 1939, Ernest Blot
s'est éteint dans la nuit du 23 juin, à l'âge de
soixante-treize ans. Avec lui disparaît l'une de ces
figures de la haute banque française, venue de la
fonction publique, dont l'entregent n'avait d'égal
que la discrétion. Sorti major de promotion de
l'ENA en 1965 »... major, tu vois, je ne m'en

155

souvenais plus… « il intègre l'Inspection des Finances. Il sera membre de plusieurs cabinets ministériels entre 1969 et 1978, conseiller technique »… et cætera, tout ça on connaît… « En 1979, il rejoint la banque Wurmster, fondée au lendemain de la Première Guerre mondiale, tombée un peu en désuétude, dont il devient directeur général puis, en 1985, président-directeur général. Il en fera, peu à peu, l'un des tout premiers établissements français aux côtés de Lazard Frères ou de Rothschild et Compagnie »… et cætera… « Il est l'auteur d'une biographie d'Achille Fould, ministre des Finances de la IIᵉ République (éditions Perrin, 1997). Ernest Blot était grand officier dans l'Ordre national du mérite et commandeur de la Légion d'honneur. »… Pas un mot sur sa femme. C'est normal ? Le Achille Fould, je ne l'ai jamais ouvert. Il en a vendu trois exemplaires. Ça m'a donné mal au cœur de lire. Ma mère dit, on étouffe dans cette voiture, tu veux monter la clim mon chéri ? Pas de clim ! s'écrie Jeannette, pas de clim, ça me monte au cerveau. Je jette un œil dans le rétroviseur. Ma mère s'est configurée pour ne pas contredire la veuve du jour. Elle a juste renversé la tête et ouvert la bouche comme une carpe. Jeannette sort de son sac un ventilateur de poche avec des pales transparentes. — Tenez Zozo, ça rafraîchit. Elle l'actionne. Il fait un bruit de guêpe folle. Elle effectue deux cercles autour de son propre visage et le tend à ma mère. Pas besoin, halète ma mère. — Essayez-le Zozo, je vous assure. — Non merci. — Prends-le maman, tu as chaud. — Je vais très bien, fiche-moi la paix. Jeannette se passe encore un petit coup de ventilateur de part et d'autre du cou. Ma mère dit, d'une voix caverneuse, juste derrière mon oreille, j'en veux toujours à ton père de ne pas avoir revendu cette concession minable. Quand je mourrai Robert, déplace-nous. Mets-nous en ville. Paulette m'a dit qu'il restait des places dans le carré juif à Montparnasse. La Mercedes tourne à gauche, effectuant un genre de cercle majestueux, laissant voir fugitivement les profils muets d'Odile et Marguerite. Jeannette dit, je n'éprouve aucun sentiment. Elle semble perdue. Les bras le long du corps, le sac ouvert posé sur ses genoux, le ventilateur bourdonnant dans une main inerte. Je sens qu'il faudrait répondre, émettre un commentaire, mais rien ne me vient. Ernest occupait une place importante dans ma vie. Il s'intéressait à mon travail (je lui lisais certains articles avant de les envoyer au journal), m'interrogeait, polémiquait comme j'aurais aimé que mon père le fasse (mon père était bienveillant et affectueux, mais il ne savait pas être le père d'un homme adulte). On s'appelait presque tous les matins pour régler la Syrie, l'Iran, critiquer la candeur des Occidentaux et la prétention européenne. C'était son cheval de bataille. Le fait qu'on soit passés dans la catégorie donneur de leçons après mille ans de massacres. J'ai perdu un ami qui avait une vision de l'existence. C'est assez rare. Les gens n'ont pas de vision de l'existence. Ils n'ont que des opinions. Parler avec Ernest, c'était toujours être moins seul. Je sais qu'il n'a pas dû être drôle tous les jours pour

Jeannette. Un jour (il partait faire une conférence sur la monnaie), elle lui a balancé une tasse de café à la figure. Tu es un personnage abject, tu as bousillé ma vie de femme. Ernest avait dit en essuyant sa veste, ta vie de femme? C'est quoi une vie de femme? Quand j'ai rencontré Odile, il m'avait dit, elle est emmerdante je te préviens, je te remercie de m'en débarrasser. Et plus tard, ne t'inquiète pas mon petit, le premier mariage est toujours dur. Je lui avais demandé, vous vous êtes marié plusieurs fois? — Mais non, justement. Ma mère parle à l'arrière. Je mets un moment pour revenir de mes pensées et comprendre ses mots. Elle dit, c'est après qu'on éprouve quelque chose. Quand tout le tralala de la mort est passé. Quand le tralala sera passé, je n'éprouverai que rancœur, dit Jeannette. Tu exagères, je dis. Elle secoue la tête, il était bon mari, le vôtre, Zozo? Ouhhh…, dit ma mère. — Tu veux dire quoi maman? Tu étais heureuse avec papa, non? — Je n'étais pas malheureuse. Non. Mais tu sais, un bon mari ça ne court pas les rues. Nous remontons l'avenue Gambetta en silence. Les arbres dispensent une ombre oscillante. Jeannette a repris ses farfouillements de sac. Quelqu'un klaxonne sur ma gauche. Je suis au bord de répondre par une invective quand j'aperçois, à notre hauteur, les visages souriants (à la façon enterrement) des Hutner. Lionel conduit, Pascaline s'est penchée par la fenêtre pour faire un signe de la main à Jeannette. Je jette un bref coup d'œil à l'arrière. Avant d'accélérer, j'ai le temps d'apercevoir leur fils Jacob, assis à l'arrière, droit et pénétré, un genre d'écharpe indienne enroulée autour du cou. Vous avez invité les Hutner ? dit Jeannette d'une voix accablée. — On a invité nos amis proches. Les Hutner aimaient beaucoup Ernest. — Oh mon Dieu, ça me tue de devoir saluer tous ces gens. Ça me tue tout ça. Cette mondanité. Pour cette merde de crématisation. De crémation, je corrige. — Oh de je ne sais quoi, il m'énerve ce croque-mort avec ses mots impossibles ! Elle baisse le volet du miroir et vérifie son visage. En se mettant du rouge à lèvres, elle dit, tu sais qui j'ai invité, moi ? Raoul Barnèche. — C'est qui ? — Il y a une chose que vous ignorez tous, même Odile, que personne ne dira dans aucun journal et que j'ai endurée moi toute seule. Quand il est revenu de ses pontages, en 2002, Ernest s'est mis à broyer du noir. Du noir, matin et soir, prostré dans le fauteuil sous le tableau de la licorne, chipotant dans son assiette, refusant la rééducation. Il se pensait fini. Albert, son chauffeur, a eu l'idée de lui présenter son frère qui est un champion de cartes. Ce type, Raoul Barnèche, un bel homme, tu verras, un genre de Robert Mitchum, est venu presque tous les jours jouer au gin rummy avec lui. Ils jouaient de l'argent. Des sommes de plus en plus grosses. Ça l'a ressuscité. J'ai dû mettre le holà avant qu'il ne se fasse plumer complètement. Mais ça l'a sauvé. Nous entrons dans le cimetière, côté funérarium, rue des Rondeaux. La Mercedes s'immobilise devant la néo-basilique. Il y a du monde sur les marches et entre les colonnes. Je partage l'anxiété de Jeannette. Odile et Marguerite sont déjà dehors. Un homme en noir m'indique le parking sur la gauche. Je dis aux femmes, vous voulez descendre? Aucune des deux ne veut descendre et je les comprends. Je me gare. Nous longeons le bâtiment. Odile vient au-devant de sa mère. Elle dit, il y a plus de cent personnes, les portes de la salle sont encore fermées. J'aperçois Paola Suares, les Condamine, les Hutner, les enfants de Marguerite, le docteur Ayoun chez qui j'ai plusieurs fois accompagné Ernest. Je vois Jean Ehrenfried gravir les marches une à une, soutenu par Darius Ardashir qui porte sa béquille. Un peu à l'écart, près d'un buisson, je reconnais Albert, le chauffeur de mon beau-père. Il est avec un autre homme en lunettes de mafieux à qui Jeannette sourit. Ils viennent à notre rencontre. Albert entoure ma belle-mère de ses bras. Quand il la lâche, ses yeux sont humides et son visage semble avoir rétréci. Il dit, vingt-sept ans. Jeannette répète le chiffre. Je me demande si Jeannette a conscience de ce qu'il a pu voir et lui cacher durant ces vingt-sept ans. Elle se tourne vers l'homme brun en veste à velours côtelé et lui prend la main, c'est si gentil d'être venu, Raoul. L'homme ôte ses lunettes et dit, ça m'a ému, sincèrement. Jeannette ne lâche pas la main. Elle l'agite par petits à-coups. Lui se laisse faire, un peu embarrassé. Elle dit, Raoul Barnèche. Il jouait au gin rummy avec Ernest. C'est vrai qu'il a un côté Robert Mitchum. Une fossette au menton, l'œil gonflé et la mèche rebelle. Jeannette est toute rose. Il sourit. Sur le terre-plein du crématorium, sous le ciel uniformément bleu, alors que l'attendent famille, amis, officiels, ma belle-mère reste agrippée à cet homme dont je n'avais jamais entendu parler. Je sens un mouvement autour de nous. Les portes de la salle s'ouvrent entre les colonnes. Je cherche ma mère qui s'est volatilisée. Je la repère avec les Hutner en bas des marches. Odile nous rejoint. Elle embrasse Jacob avec chaleur, depuis combien de temps je ne t'ai pas vu, tu as encore grandi ? D'une voix ténue, lente, avec un accent québécois prononcé, Jacob dit, Odile, tu sais j'ai perdu mon père aussi, ça a été difficile bien sûr mais je lui ai fait une place au fond de mon cœur. Il superpose ses mains sur sa poitrine et ajoute, je sais qu'il est là avec moi. Odile me jette un coup d'œil effaré. J'effectue un battement de paupières apaisant. Sur mes lèvres se forme un ersatz de « je t'expliquerai ». Je prends le bras de Lionel dont le visage s'est momifié et j'embarque ma mère de l'autre côté. Elle s'apprête à faire un commentaire pendant que nous montons l'escalier de pierre et je l'enjoins par pression de s'abstenir. La salle se remplit en silence. J'installe ma mère et les Hutner et je m'en vais jouer mon rôle de maître de maison dans les travées. Je salue des membres de la famille, des cousins bretons d'Ernest, André Taneux, un condisciple d'Ernest à l'ENA, qui a été premier président de la Cour des comptes, le patron de mon groupe de presse (dont Odile approuve la ridicule barbe de trois jours), des inconnus, le directeur de cabinet du ministre des Finances, le chef de corps de l'Inspection des

Finances, d'anciens collègues de l'Inspection qui s'introduisent spontanément. Darius Ardashir me présente le président du conseil d'administration du Troisième Cercle. Je recroise Odile parmi le staff de la banque Wurmster. Elle a fait sa petite coiffure de maître Toscano. Elle est brave. Elle murmure dans le creux de mon oreille, Jacob ?!... Je n'ai pas le temps de répondre car le maître de cérémonie nous enjoint de gagner le premier rang où se trouvent Marguerite, ses enfants et Jeannette. L'assistance se lève. Le cercueil d'Ernest est entré dans la nef. Les porteurs le posent sur les tréteaux au bas des marches qui conduisent au catafalque. Le régleur s'est mis au pupitre. Derrière lui, en haut de la double volée de marches, entourant l'estrade, une ville peinte semi-Jérusalem, semi-Babel, parsemée de peupliers bibliques, baigne dans un crépuscule bleu étoilé kitschissime. Le régleur propose quelques instants de silence. J'imagine Ernest étendu dans le costume Lanvin cintré des années soixante que Jeannette a choisi. Moi aussi, me dis-je, j'étoufferai un jour dans le coffre de la mort, complètement seul. Et Odile aussi. Et les enfants. Et tous ceux qui sont là, avec ou sans grade, plus ou moins vieux, plus ou moins heureux, occupés à tenir leur rang de vivants. Tous, complètement seuls. Ernest a mis ce costume pendant des années. Même quand il était tout à fait passé de mode, même quand son ventre aurait dû lui interdire le cintré-croisé. En revenant de Bruxelles un jour, conduisant lui-même à cent quatre-vingts à l'heure, Ernest avait mangé un paquet de chips parfum barbecue, un sandwich au poulet et une barre de nougat. Moins de cinq minutes après, il était devenu un crapaud-buffle asphyxié par le Lanvin et la ceinture de sécurité. Il avait une Peugeot décapotable, en arrivant à Paris, un pigeon lui avait chié dessus. Je cherche les Hutner. Ils se sont déplacés en bout de rangée juste devant les Condamine. Jacob est à l'extrémité. Humble et réservé, me dis-je, comme une personne qui ne veut pas attirer l'attention sur elle. André Taneux a remplacé le maître de cérémonie derrière le pupitre. Brushing arrière bien calé en hauteur et teinture marron radicale (un peu violette sous la lumière diffuse des vitraux). C'est lui qui a tenu à s'exprimer malgré les réticences d'Odile et Jeannette. Il déplie lentement sa feuille et rajuste inutilement le micro. « Une silhouette imposante brutalement s'éloigne, laissant dans son sillage un parfum de Gauloise et d'aristocratie. Ernest Blot nous quitte. Si j'interviens aujourd'hui pour faire entendre ma voix, Jeannette, je t'en remercie, c'est parce qu'en la personne d'Ernest nous ne perdons pas simplement un être cher. Nous perdons un moment heureux de notre histoire. Il y eut en France, au lendemain de la guerre, face aux décombres, l'avènement d'un de ces partis inattendus, capable de réunir des hommes de tous horizons et de toutes convictions, croyants et athées, de droite et de gauche : le Parti de la modernisation. Il fallait, d'une même main, reconstruire l'État et le tissu des entreprises, reconstituer l'épargne et la mettre au service de la croissance. Notre ami Ernest Blot fut l'une des figures emblématiques de ce parti. ENA, Inspection des Finances, cabinets ministériels, haute banque : une ligne de vie continue, dans une époque qui hélas n'existe plus, où les énarques n'étaient pas des technocrates mais des bâtisseurs, où l'État ce n'était pas le conservatisme mais le progrès, où la banque ce n'était pas l'argent fou d'un casino mondialisé mais le financement opiniâtre du tissu productif. Une époque où les hommes de valeur ne faisaient ni carrière ni fortune, mais servaient leur pays, dans le public ou le privé, sans vénalité et sans vanité. Ma tristesse est grande d'avoir perdu Ernest mais je me console en pensant qu'un seigneur quitte un monde qui ne lui ressemble plus. Repose en paix mon ami, loin d'une époque qui ne te vaut pas. » Et toi, cours chez le coloriste, je glisse à Odile. Taneux replie sa feuille avec un pincement de lèvres navré et regagne sa place. Le régleur attend que ses pas s'éteignent sur le marbre. Il laisse passer un moment puis annonce, monsieur Jean Ehrenfried, administrateur, ancien président-directeur général de Safranz-Ulm Electric. Darius Ardashir est penché sur Jean pour l'aider à se lever et prendre appui sur sa béquille. Jean s'avance à pas prudents, en claudiquant, vers le pupitre. Il est maigre, pâle, habillé d'un costume à carreaux beige et d'une cravate à pois jaunes. Il pose sa main libre sur la tablette pour parfaire son équilibre. Le bois grince et résonne. Jean regarde le cercueil, puis devant lui, vers le fond de la salle. Il ne sort ni papier ni lunettes. « Ernest… tu me disais, qu'est-ce que je vais bien pouvoir dire de toi à ton enterrement ? Et moi je répondais, tu vas faire l'éloge d'un vieux juif apatride, essaye d'être un peu profond pour une fois. J'étais plus âgé que toi, plus malade, nous n'avions pas prévu la situation inverse... Nous nous appelions régulièrement. La phrase qui revenait : où es-tu ? Où es-tu ? Nous étions souvent à droite et à gauche à cause du travail mais toi tu avais Plou-Gouzan L'Ic, ta maison près de Saint-Brieuc. Tu avais ta maison et tes pommiers, dans un petit vallon. Quand je te disais, où es-tu, et que tu répondais, à Plou-Gouzan L'Ic, je t'enviais. Tu étais réellement quelque part. Tu avais quarante pommiers. Tu faisais cent vingt litres par an d'un cidre épouvantable que j'avais fini par trouver bon... » Il s'interrompt. Il oscille et se retient au pupitre. Le régleur semble vouloir intervenir mais il l'en empêche. « Un cidre dur, bourru, selon tes propres termes, dans des bouteilles en plastique avec un bouchon de détergent, très loin des cidres bouchés et pétillants des bourgeois. C'était ton cidre. Il venait de tes pommes, de ta terre... Où es-tu maintenant ? Où es-tu ? Je sais que ton corps est dans cette bière à deux mètres. Mais toi, où es-tu ? Il n'y a pas longtemps, dans la salle d'attente de mon médecin, une patiente a dit cette phrase : même la vie, au bout d'un moment, c'est une valeur idiote. Il est vrai qu'en fin de course on oscille entre la tentation d'opposer à la mort une réponse énergique (j'ai récemment acheté un vélo d'appartement) et l'envie de se laisser glisser vers je ne sais quel endroit obscur... Est-ce que tu m'attends quelque part,

Ernest?… Où…?» Le dernier mot n'est peut-être pas celui-là. Il est à peine audible et pourrait aussi bien n'être que la première syllabe d'une phrase laissée à l'abandon. Jean se tait. Il s'est tourné presque entièrement vers le cercueil. En plusieurs étapes infimes, appliqué à ne pas laisser voir le corps déficient. Ses lèvres s'entrouvrent et se ferment comme le bec d'un oiseau affamé. Le bras droit tient fermement la canne et la fait osciller. Il reste longtemps dans cette station fragile, murmurant, on dirait, à l'oreille du mort. Puis, il regarde la salle en direction de Darius qui vient aussitôt le chercher pour l'aider à retourner à sa place. Je serre la main d'Odile et je vois qu'elle pleure. Le régleur a repris le micro et annonce le transfert du cercueil d'Ernest Blot pour la crémation, laquelle, dit-il, répond aux souhaits qu'il avait lui-même exprimés. Les porteurs reprennent le cercueil. L'assistance se lève. Ils montent en silence les marches jusqu'au catafalque qui paraît ridiculement haut et loin. Un mécanisme se met en marche. Ernest disparaît.

Odile Toscano

La dernière année de sa vie, ta grand-mère avait un peu perdu la tête, dit Marguerite. Elle voulait aller chercher ses enfants dans le village. Je disais, maman tu n'as plus d'enfants. Si, si, je dois les ramener à la maison. On partait chercher ses enfants dans le Petit-Quevilly. J'en profitais pour la faire marcher. C'était rigolo d'aller nous chercher Ernest et moi soixante ans auparavant. On a dépassé Rennes. Marguerite est du côté de la fenêtre, près de Robert. Depuis le début du voyage, elle est pour ainsi dire la seule dont on entend la voix. Elle ne s'adresse qu'à moi, par accès sporadiques (les deux autres s'étant repliés dans une intimité opaque), exhumant diverses saisons du passé des morts. Nous sommes dans ces nouveaux compartiments modernes ouverts sur le couloir. Maman est assise en face de Marguerite. Elle a coincé le sac Go Sport entre nous. Elle n'a pas voulu le mettre en hauteur sur le panier. Robert fait la gueule depuis qu'il sait qu'on change à Guingamp. C'est une erreur de ma secrétaire. Elle a pris des allers-retours Paris-

Guernonzé avec un changement à l'aller. Quand il s'en est rendu compte, gare Montparnasse, Robert nous a accusées de vouloir toujours tout compliquer alors qu'il aurait été si simple d'y aller en voiture. Il est parti en avant sur le quai, odieux, portant le sac Go Sport zébré noir et rose qui contient l'urne. Je ne comprends pas du tout ce choix de sac. Marguerite non plus. En catimini elle m'a dit, pourquoi ta mère a mis Ernest là-dedans? Ils n'avaient pas un sac de voyage plus élégant? À travers la vitre passent des entrepôts, des zones industrielles éparses et mornes. Plus loin, des lotissements, des champs de terre retournée. Je n'arrive pas à régler mon dossier de siège. J'ai l'impression qu'il me projette vers l'avant. Robert me demande ce que je cherche à faire. Je dérange sa lecture, une biographie d'Hannibal. Sur la couverture, en exergue, la phrase de Juvénal : « Pèse la cendre d'Hannibal : combien de livres trouveras-tu à ce fameux général ? » Maman a fermé les yeux. Les mains sur les cuisses, elle se laisse bercer par le mouvement du train. Sa jupe remonte trop haut sur la blouse déraisonnablement rentrée. Ça fait longtemps que je ne l'ai pas regardée vraiment. Une dame à laquelle personne ne fait attention, replète et fatiguée. À Cabourg, quand j'étais petite, elle marchait sur la promenade dans une robe de mousseline serrée à la taille. Le tissu pâle flottait, elle balançait son cabas en toile dans le vent. Le train passe sans s'arrêter à Lamballe. On a le temps d'apercevoir le parking, la maison rouge du médecin (Marguerite nous le dit presque en criant), les bâtiments de la gare, l'église fortifiée. Toute forme atténuée par un brouillard perfide. Je pense à papa qui traverse pour la dernière fois la ville de son enfance, moulu dans un sac de sport. J'ai envie de voir Rémi. J'ai envie de m'amuser. Et si j'expérimentais les pinces à seins dont Paola m'a parlé ? Pauvre Paola. Trimballée par Luc (je me demande si Robert le sait). Si j'étais une amie généreuse, je la présenterais à Rémi Grobe. Ils se plairaient. Mais je veux garder Rémi pour moi. Rémi me sauve de Robert, du temps, et de toutes sortes de mélancolie. La nuit dernière, Robert et moi sommes restés longtemps dans le noir sans parler. À un moment, j'ai dit, c'est qui Lionel pour Jacob maintenant ? J'ai senti que Robert réfléchissait et qu'il ne savait pas. Arrêt à Saint-Brieuc. Long ruban de maisons blanches, uniformes. Un wagon de coopérative *Starlette de Plouaret-Bretagne* échoué en retrait du quai. Pauvres Hutner. En même temps, à qui ça pouvait arriver d'autre ? Le train repart. Marguerite dit, la prochaine c'est Guingamp. Quand on venait à Plou-Gouzan L'Ic, on descendait à Saint-Brieuc. Je ne suis jamais allée au-delà. Papa ne m'a jamais emmenée au-delà de Plou-Gouzan L'Ic, le trou où il avait acheté cette maison moisie qu'il adorait et que maman et moi détestions. C'est Luc qui a fourni les menottes et les pinces à seins, m'a dit Paola. Rémi n'a pas ce genre d'idée. Je ne vais quand même pas les acheter moi-même. Sur Internet ? Je fais livrer le colis où ? Guingamp, crie Marguerite. On se lève comme si le train n'allait s'arrêter que cinq secondes et demie. Robert empoigne le sac Go Sport. Marguerite et maman se jettent vers les portes. Descente à Guingamp. Un panneau accroché à un abri en verre indique Brest. Marguerite dit, on reste là. Un souffle humide glisse dans mon cou. Je dis, il fait froid. Marguerite proteste. Elle ne veut pas qu'on critique la Bretagne. Elle porte un tailleur mauve fermé jusqu'au col. Un foulard en soie recouvre les épaules. Elle a soigné son allure comme pour un rendez-vous amoureux. Au centre du quai, dans la cage en verre, des gens sont alignés sur un seul banc. Voyageurs blafards, collés les uns aux autres devant un amas de sacs. Je dis, maman tu veux t'asseoir ? — Là-dedans ? Sûrement pas. Elle enfile son pardessus. Robert l'aide. Elle a mis des chaussures plates pour la circonstance. Elle regarde du côté de l'horloge à l'ancienne, et vers le ciel, les nuages qui vont quelque part en mouvement lent. Elle dit, tu sais à quoi je pense ? À mon petit pin d'Autriche. J'aimerais bien voir sa tête aujourd'hui. Maman avait planté un pin d'Autriche parmi les pommiers de Plou-Gouzan L'Ic. Papa avait dit, ta mère se pense éternelle. Elle a acheté un pied de quinze centimètres parce que c'est moins cher ; elle pense qu'elle sera encore là pour se promener autour avec l'arrière-petit-fils de Simon. Robert dit, il doit t'arriver à l'épaule Jeannette avec un peu de chance, si entre-temps personne ne l'a arraché avec les mauvaises herbes. On rit. Je crois aussi entendre papa rire dans le sac. Maman finit par dire, peut-être qu'il était trop à l'étroit pour pousser au milieu des pommiers. Robert part faire quelques pas vers le bout du quai. Le dos de sa veste est froissé.

Il marche le long des voies, toujours tenant serré l'objet du voyage, se balançant d'un pied sur l'autre, allant chercher on ne sait quel panorama sur la plate-forme vide. Le train qu'on prend pour aller de Guingamp à Guernonzé produit des sons de chemin de fer d'autrefois. Les vitres sont sales. On passe devant des baraquements, des silos à grain, puis la vue est bouchée par la rambarde et les broussailles. Personne ne dit grand-chose. Robert a rangé Hannibal (il y a quelques jours, il m'a dit à son propos : quel être merveilleux), et s'affaire sur son BlackBerry. Guernonzé. Le ciel s'est éclairci. Nous sortons de la gare sur un parking, entouré de bâtiments blancs à toits gris. De l'autre côté de la place, un hôtel Ibis. Marguerite dit, ça n'était pas du tout comme ça. Des voitures sont stationnées au milieu d'une profusion de plots, de lampadaires et de jeunes arbres emprisonnés dans des piquets de bois. Autrefois, tout ça n'existait pas, dit Marguerite. L'Ibis non plus, c'est très récent tout ça. Elle prend le bras de maman. Nous traversons le rond-point. Nous marchons sur un trottoir étroit bordé de maisons désertées aux volets clos. La rue est en courbe. Les voitures qui vont dans les deux sens nous frôlent. Voilà le pont, dit Marguerite. — Le pont ? — Le pont sur la Braive. Je suis contrariée qu'il soit si près de la gare. Je ne m'attendais pas à la brièveté de notre procession. Marguerite montre un immeuble de l'autre côté et dit, la maison des grands-parents était juste derrière. Elle est à moitié démolie. C'est devenu un pressing. Vous voulez la voir ? — Ce n'est pas la peine. — À la place de l'immeuble, il y avait un jardin avec un lavoir sur la Braive. On jouait là. Je dis, vous passiez toutes vos vacances à Guernonzé ? — Les étés. Et Pâques. Mais Pâques était triste. Le pont est encadré d'une rambarde en fer noire. Des fleurs y sont accrochées dans des bacs. Des voitures passent sans discontinuer. Au loin, une colline plus ou moins construite fait dire à Marguerite, là-haut ce n'était que de la verdure. C'est ici qu'on jette les cendres ? demande maman. Si vous voulez, dit Marguerite. Moi je ne veux rien du tout, dit maman. — C'est ici qu'on a dispersé les cendres de papa. — Et pourquoi pas de l'autre côté ? C'est plus joli. Parce que le courant va dans ce sens, dit Robert. L'agence immobilière, je crois qu'elle est toute récente, dit Marguerite en pointant la rue qui longe la berge opposée. Marguerite, s'il te plaît, arrête de nous dire quelles choses existaient ou n'existaient pas dans cette ville, tout le monde s'en fiche, ça n'inté-resse personne, dit maman. Marguerite se renfrogne. Aucune phrase apaisante ne me vient car j'approuve maman. Robert a ouvert le sac Go Sport. Il sort l'urne en métal. Maman regarde de tous les côtés, c'est affreux de faire ça en plein jour, au milieu de la circulation. — On n'a pas le choix maman. — Ça ne ressemble à rien. Robert demande, qui le fait ? Toi Robert, toi, dit maman. Pourquoi pas Odile ? dit Marguerite. — Robert le fera mieux. Robert me tend l'urne. Je ne peux pas toucher cette urne. Depuis qu'on nous l'a remise au crématorium, il m'a été impossible de saisir cet objet. Je dis, elle a raison,

172

fais-le. Robert ouvre le premier couvercle qu'il me donne. Je le bazarde dans le sac. Il dévisse le deuxième couvercle sans le retirer. Il passe son bras par-dessus la balustrade. Les femmes s'agglutinent comme deux oiseaux effrayés. Robert enlève le deuxième couvercle et retourne l'urne. Une sciure grise s'échappe, s'éparpille dans l'air et retombe dans la Braive. Robert me serre contre lui. On regarde la rivière calme, striée de vaguelettes, où les arbres en bordure s'allongent en taches noires. Derrière nous, les voitures passent, de plus en plus bruyantes. Marguerite coupe une fleur blanche d'un bac et la jette. La fleur est trop légère. Elle s'envole vers la gauche et, à peine arrivée dans l'eau, se coince contre une pile de pierres. Au-delà d'une passerelle, des enfants se préparent à une promenade en canoë-kayak. Qu'est-ce qu'on fait de l'urne ? dit maman. On la jette, dit Robert qui l'a remise dans le sac. — Où ? — Dans une poubelle. Il y en a une contre le mur là-bas. Je propose qu'on remonte vers la gare. Je vous offre un verre en attendant le train. Nous quittons le pont. Je regarde l'eau, la ligne de bouées jaunes. Je dis au revoir à papa. Je forme un petit baiser avec mes lèvres. Arrivé au mur d'angle, Robert essaie de caser le sac Go Sport dans la poubelle. Qu'est-ce que tu fais Robert ? Pourquoi tu jettes le sac ? — Il est hideux ce sac. Tu ne vas rien en faire Jeannette. — Si, si. Il me sert à transporter des choses. Ne le jette pas. Maman, j'interviens, ce sac a contenu les cendres de papa, il n'a plus d'autre desti-nation. C'est complètement idiot, dit maman, ce sac a transporté un vase, point final. Robert, s'il te plaît, sors cette saloperie d'urne, jette-la et rends-moi le sac. — Il vaut dix euros ce sac maman! — Je veux récupérer ce sac! — Pourquoi? — Parce que! Je suis déjà assez conne pour être venue jusqu'ici, maintenant j'aimerais un peu décider des choses. Ton père est dans sa rivière, tout est parfait et moi je rentre à Paris avec mon sac. Donne-moi ce sac Robert. Robert a vidé le sac et le tend à maman. Je le lui arrache des mains, maman s'il te plaît, c'est grotesque. Elle agrippe la poignée en gémissant, c'est mon sac, Odile! Je crie, cette merde reste à Guernonzé! Je l'enfonce en le tassant dans la poubelle murale. On entend un sanglot brutal et déchirant. Marguerite a levé les mains et offert son visage au ciel telle une pietà. Je me mets moi-même à pleurer. Voilà le résultat, bravo, dit maman. Robert essaie de la calmer et de l'éloigner de la poubelle. Elle se débat un peu, puis, accrochée à son bras, accepte de remonter le trottoir étroit, presque titubant, le corps rasant le mur de pierre. Je les regarde marcher, lui, ses cheveux trop longs, son dos froissé, Hannibal sortant de la poche, elle, ses chaussures plates, sa jupe dépassant du pardessus, et me vient la pensée que Robert est le plus orphelin des deux. Marguerite se mouche. Elle fait encore partie des femmes qui mettent, à disposition, un mouchoir en tissu dans leur manche. Je l'embrasse. Je lui prends la main. Ses doigts chauds enlacent ma paume et la serrent. Nous remontons le trottoir, à quelques mètres de maman et Robert. Au bout de la rue, devant le parking de la gare, Marguerite s'arrête devant une maison basse aux ouvertures encadrées de briques rouges. Elle dit, Ernest a tourné dans *La Bataille du rail* à cet endroit. — Ici ? — Oui. Les grands-parents me l'ont raconté, je n'étais pas née. Il s'était mis là, parmi des figurants, devant un bistrot qui n'existe plus. Ils filmaient une charrette de foin. Ernest était juste derrière, il pensait qu'on verrait au moins ses jambes. On a rejoint Robert et maman au carrefour. Il a vu le film cinq ou six fois. Même vieux, tu es témoin Jeannette, il le revoyait à la télé en espérant voir ses jambes de sept ans.

Jean Ehrenfried

« Il y a quelques années, toi et moi, Ernest, tu t'en souviens, avant que tu ne revendes Plou-Gouzan L'Ic, nous avons été pêcher. Tu avais acheté un équipement de pêche à la ligne dont tu ne t'étais jamais servi et nous sommes partis pêcher la truite, la carpe, ou je ne sais quel poisson d'eau douce dans une rivière près de ta maison. Sur le sentier, on était absurdement heureux. Je n'avais jamais pêché, et toi non plus, hormis quelques crustacés du bord de mer. Au bout d'une demi-heure, peut-être moins, ça a mordu. Tu t'es mis à tirer, fou de joie — je crois même t'avoir aidé — et on a vu se tortiller au bout de la ligne un petit poisson effrayé. Et ça nous a effrayés en retour Ernest, tu m'as dit, qu'est-ce qu'on fait, qu'est-ce qu'on fait ? J'ai crié, relâche-le, relâche-le ! Tu as réussi à le libérer et à le remettre dans l'eau. On a aussitôt replié bagage. Sur le chemin du retour, pas un mot, plus ou moins accablés. Soudain tu t'es arrêté et tu m'as dit : deux titans. »

DU MÊME AUTEUR

CONVERSATIONS APRÈS UN ENTERREMENT, repris dans THÉÂTRE (Livre de poche n° 14701)

LA TRAVERSÉE DE L'HIVER, repris dans THÉÂTRE (Livre de poche n° 14701)

L'HOMME DU HASARD, repris dans THÉÂTRE (Livre de poche n° 14701)

« ART », repris dans THÉÂTRE (Livre de poche n° 14701)

HAMMERKLAVIER (Livre de poche n° 14664)

UNE DÉSOLATION (Livre de poche n° 15020)

LE PIQUE-NIQUE DE LULU KREUTZ

TROIS VERSIONS DE LA VIE

ADAM HABERBERG (première édition), repris sous le titre : HOMMES QUI NE SAVENT PAS ÊTRE AIMÉS (deuxième édition) (Livre de poche n° 30153), puis sous le titre original (troisième édition) (Folio n° 6000)

UNE PIÈCE ESPAGNOLE

NULLE PART (Livre de poche n° 30841)

DANS LA LUGE D'ARTHUR SCHOPENHAUER (Folio n° 5991)

L'AUBE LE SOIR OU LA NUIT (J'ai Lu n° 8930)

LE DIEU DU CARNAGE

COMMENT VOUS RACONTEZ LA PARTIE (Folio n° 5814)

HEUREUX LES HEUREUX (Folio n° 5813)

BELLA FIGURA

COLLECTION FOLIO

Dernières parutions

Composition IGS-CP à L'Isle-d'Espagnac (16)
Impression Maury Imprimeur
45330 Malesherbes
le 15 décembre 2020
Dépôt légal : décembre 2020
1er dépôt légal dans la collection : avril 2014
Numéro d'imprimeur : 250613

ISBN 978-2-07-045958-2. / Imprimé en France.